편입수학 이화*숙명여자대학교 5개년 기출

발   행 | 2024년 07월 01일
저   자 | 스킬편입수학 연구소
펴낸이 | 한건희
펴낸곳 | 주식회사 부크크
출판사등록 | 2014.07.15.(제2014-16호)
주   소 | 서울특별시 금천구 가산디지털1로 119 SK트윈타워 A동 305호
전   화 | 1670-8316
이메일 | info@bookk.co.kr

ISBN | 979-11-410-9193-4

www.bookk.co.kr

SKILL_MATH
스킬편입수학 연구소

편입수학
이화*숙명
여자 대학교
5개년 기출

SKILL_MATH
스킬편입수학

이화여자
대학교
5개년
기출 모음

2019학년도 이화여자대학교 30문항 100분

1. 함수 $f(x) = 2x + 1$과 $g(x) = 2x$에 대하여

$$(g \circ f^{-1})(1) - (f \circ g^{-1})(1)$$

의 값을 구하시오.

① -2 ② -1 ③ 0 ④ 1 ⑤ 2

2. 정의역이 $X = \{0, 1\}$일 때, 함수 $y = x$와 서로 같은 함수를 모두 찾으시오.

$$
\begin{array}{ll}
a. & y = x^2 \\
b. & y = \sin(\pi - \pi x) \\
c. & y = \lim_{h \to 0} \dfrac{\sin(hx)}{h}
\end{array}
$$

① a   ② b   ③ c   ④ a,c   ⑤ a,b,c

3. $2019^3 + 2018^3 - 1$을 $2019^2 + 2018^2$으로 나누었을 때의 나머지를 구하시오.

① $2018^2 - 1$ ② $2019^2 - 1$
③ $2018 \cdot 2019$ ④ 2020 ⑤ 2019

4. 실수 전체에서 무한 번 미분가능한 함수 $f(x)$는 다음과 같이 자연수에서 함숫값의 부호를 교대로 갖는다.

$$f(0) > 0, \, f(1) < 0, \cdots, f(2019) < 0$$

이 때, 일반적으로 참인 명제들을 모두 고르시오.

a. $f'(x)$는 적어도 2019개의 근을 갖는다.
b. $f''(x)$는 적어도 2017개의 근을 갖는다.
c. 고차미분 $f^{(2019)}(x)$는 적어도 1개의 근을 갖는다.

① a   ② b   ③ c   ④ a,c   ⑤ a,b,c

5. 한 변의 길이가 1인 정사각형 모양의 종이를 아래 그림과 같이 접었다. 선분 $\overline{AB}$의 길이를 구하시오.

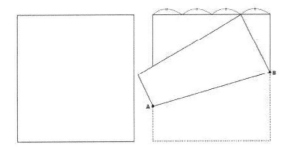

① $\dfrac{25}{32}$ ② $\dfrac{\sqrt{17}}{4}$ ③ $\sqrt{2}+\sqrt{3}$

④ $\sqrt{5}-1$ ⑤ $\dfrac{\sqrt{7}}{3}$

6. 다음과 같이 정의된 수열 x_n의 극한값 $\displaystyle\lim_{n\to\infty}x_n$을 구하시오.

$$x_{n+1}=x_n+\frac{x_n-x_n^3}{3x_n^2-1},\ n=0,1,2,\cdots$$
$$x_0=\frac{\sqrt{5}}{5}$$

① -1 ② 0 ③ 1

④ 존재하지 않는다.   ⑤ $\sqrt{3}$

7. 극한 $\displaystyle\lim_{t\to1}\frac{t^2-e^{t-1}-\ln t}{\sin^2(\pi t)}$ 의 값을 구하시오.

① -1 ② 0 ③ $\dfrac{1}{\pi^2}$ ④ $\dfrac{1}{\pi}$ ⑤ $\dfrac{-1}{\pi}$

8. 다음의 급수들 중 수렴하는 것을 모두 고르시오.

$a.\ \displaystyle\sum_{n=2}^{\infty}\frac{1}{n(\ln(n))^n}$	$b.\ \displaystyle\sum_{n=2}^{\infty}\frac{(-1)^n}{\ln(n)}$
$c.\ \displaystyle\sum_{n=2}^{\infty}\frac{1}{n(1+(\ln(n))^2)}$	$c.\ \displaystyle\sum_{n=6}^{\infty}\frac{1}{n^2-6n+5}$

① b,c   ② a,b,d   ③   a,b,c

④ a,c,d   ⑤   a,b,c,d

9. 실수 $x > 0$에 대해 $x - 1 - \ln x > \dfrac{1}{2}(\ln x)^2$

이 성립하는 구간 중 포함범위가 가장

넓은 구간을 고르시오.

① $(0,1)$　　② $(0,e)$　　③ $(1,e)$

④ $(1,\infty)$　　⑤ $(0,\infty)$

10. 그래프 $y = x^2$의 $x = \dfrac{1}{2}$에서의 접선을

m이라 하자. 그림과 같이 직선 $y = \dfrac{3}{2}x - \dfrac{1}{2}$

과 l은 직선 m과 같은 각을 이룬다.

직선 l의 방정식을 구하시오.

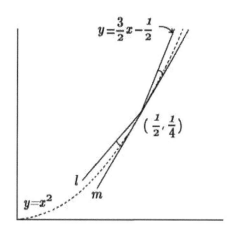

① $y = \dfrac{2}{3}x - \dfrac{1}{12}$　　② $y = x - \dfrac{1}{4}$

③ $y = \dfrac{1}{2}x$　　　　　④ $y = \dfrac{1}{3}x + \dfrac{1}{12}$

⑤ $y = \dfrac{3}{4}x - \dfrac{1}{8}$

11. 등식 $x^4 + y^4 = \dfrac{3}{4}$을 만족하는 실수 x,y에

대해 $x^2 y$의 최댓값을 구하시오.

① $\dfrac{3}{8}$ ② $\dfrac{2^{1/4}}{2\sqrt{2}}$ ③ $\left(\dfrac{3}{2}\right)^{3/4}$ ④ 1 ⑤ $\dfrac{1}{2}$

12. 실수 a,b,c에 대하여, $a + 2b + 3c = \sqrt{6}$ 이고

$a^2 + 4b^2 + 9c^2 = 2$ 일 때, $a^3 + 8b^3 + 27c^3$의 값을

구하시오.

① $2 - \sqrt{6}$　　② $\sqrt{6}$　　③ $\dfrac{2}{3}\sqrt{6}$

④ $3\sqrt{3}$　　　　⑤ 1

13. 정적분 $\int_0^4 \dfrac{3x}{1+2x}dx$ 의 값을 계산하시오.

① $12\ln 3$ ② $12-3\ln 3$ ③ $6-\dfrac{9}{4}\ln 3$

④ $\dfrac{27}{4}-\dfrac{3}{2}\ln 3$ ⑤ $6-\dfrac{3}{2}\ln 3$

15. 정적분 $\int_1^e x^2 \ln x\, dx$ 의 값을 계산하시오.

① $\dfrac{2e^3-8}{9}$ ② $\dfrac{-e^3+1}{9}$ ③ $\dfrac{2e^3+1}{3}$

④ $\dfrac{2e^3+1}{9}$ ⑤ $\dfrac{2e^3-1}{9}$

14. 정적분 $\int_{\frac{\pi}{2}}^{\frac{3\pi}{2}} \cos^5\theta\, d\theta$ 의 값을 계산하시오.

① $\dfrac{15}{16}$ ② $-\dfrac{16}{15}$ ③ 32 ④ -32 ⑤ 0

16. 정적분 $\int_0^{1/2} \dfrac{x^2}{\sqrt{1-x^2}}dx$ 의 값을 계산하시오.

① $\dfrac{\sqrt{3}}{2}$ ② $\dfrac{1}{24}$ ③ $\dfrac{\pi}{12}-\dfrac{\sqrt{3}}{4}$

④ $\dfrac{\pi}{12}+\dfrac{\sqrt{3}}{8}$ ⑤ $\dfrac{\pi}{12}-\dfrac{\sqrt{3}}{8}$

17. 다음의 특이적분들 중 수렴하는 것을
    모두 고르시오.

$a. \int_0^\infty \frac{1}{2+x^4}dx$ $b. \int_{-\infty}^\infty x^4 e^{-x^2}dx$

$c. \int_1^\infty \frac{\cos(e^{x^2})}{x^2(2+\sin x)}dx$ $d. \int_1^\infty \frac{(\ln x)^2}{x^2}dx$

① a ② a,b ③ b,c ④ a,b,c ⑤ a,b,c,d

18. 2차원 평면에서 극좌표에 관한 방정식

$r=\frac{1}{2}+\sin(\theta)$ 로 주어지는 도형은 2차원

평면을 넓이가 무한한 부분 한 개와 넓이가
유한한 부분 두 개로 분할한다. 이 중 넓이가
유한한 두 부분의 넓이를 각각 A와 B라고
했을때, 두 값의 차이 $|A-B|$ 를 계산하시오.

① $\frac{3\pi}{4}$ ② $\sqrt{3}$ ③ $\frac{3\sqrt{3}}{8}$

④ $\frac{3\sqrt{3}}{2}$ ⑤ $\frac{9\sqrt{3}}{8}$

19. 행렬 $\begin{pmatrix} -8 & 6 \\ -9 & 7 \end{pmatrix}$을 10거듭제곱하여 얻는

행렬 $\begin{pmatrix} -8 & 6 \\ -9 & 7 \end{pmatrix}^{10}$을 $\begin{pmatrix} a & b \\ c & d \end{pmatrix}$로 표현했을 때,

대각성분들의 합 $a+d$의 값을 구하시오.

① 1 ② 2 ③ 1025
④ 2048 ⑤ $8^{10}+7^{10}$

20. 2차원 평면 위에 방정식 $x^2+y^2=9$, $x \geq 0$,
$y \geq 0$로 주어지고 시계방향으로 방향이 주어진
원호를 C라고 하자. 벡터장 $\vec{F}(x,y)=x^2\vec{i}+x\vec{j}$
에대하여 선적분 $\int_C \vec{F} \cdot \vec{dr}$의 값을 구하시오.
(이때, $\vec{r}$은 C의 각 점마다 원점으로부터
그 점까지의 벡터를 주는 벡터함수이다.)

① $-\frac{9\pi}{4}$ ② $\frac{9\pi}{4}$ ③ 0

④ $-9\left(\frac{\pi}{4}-1\right)$ ⑤ $9\left(\frac{\pi}{4}-1\right)$

※[21-30] 21번부터 30번까지의 문제는 다음 보기에서 답을 고르시오. 동일한 보기를 여러 문제에서 중복해서 사용할 수 있음.

[보기]

① 0	② 1	③ 2	④ 3	⑤ 4
⑥ 5	⑦ -1	⑧ -2	⑨ -3	⑩ -4
⑪ $\dfrac{1}{2}$	⑫ $\dfrac{-1}{2}$	⑬ $\dfrac{3}{2}$	⑭ $\dfrac{5}{3}$	⑮ $\dfrac{8}{5}$
⑯ 40	⑰ 9	⑱ 11	⑲ 20	⑳ 46

21. 2중적분 $\displaystyle\int_{0}^{\sqrt{\pi/2}}\int_{y}^{\sqrt{\pi/2}}\sin(x^2)dxdy$ 의

값을 계산하시오.

22. 3차원 공간에서, $xy-$평면상의

$x^4+y^2\le 1$ 영역을 x축을 중심으로 360도

회전하여 얻어지는 3차원 영역의 부피를

$a\pi$ 라고 할 때, a의 값을 구하시오.

23. 3차원 공간 내에서, 점$(0,0,4)$를 원점으로 하고 반지름이 5인 구면 상의 점들 중 y 좌표가 3이상인 모든 점이 모여 이루는 곡면의 넓이를 $a\pi$ 라고 할때, a의 값을 구하시오.

24. 3차원 공간에서 방정식

$xy+ysin(z)+x^2z=0$으로 주어지는

곡면상의 점 $(1,0,0)$을 지나고, 이 곡면에 접하는

평면의 방정식을 $ax+by+cz+d=0$이라 할때,

$\dfrac{b}{c}$ 의 값을 구하시오.

25. 3×3행렬에 대해 다음의 등식이 성립한다.

$$\begin{bmatrix} 1 & 2 & 3 \\ 2 & 4 & 5 \\ 3 & 5 & 6 \end{bmatrix} = a \begin{bmatrix} u_1 \\ u_2 \\ u_3 \end{bmatrix} \left(\begin{bmatrix} u_1 \\ u_2 \\ u_3 \end{bmatrix} \right)^T + b \begin{bmatrix} v_1 \\ v_2 \\ v_3 \end{bmatrix} \left(\begin{bmatrix} v_1 \\ v_2 \\ v_3 \end{bmatrix} \right)^T + c \begin{bmatrix} w_1 \\ w_2 \\ w_3 \end{bmatrix} \left(\begin{bmatrix} w_1 \\ w_2 \\ w_3 \end{bmatrix} \right)^T$$

이 때,
$a(u_1^2 + u_2^2 + u_3^2) + b(v_1^2 + v_2^2 + v_3^2) + c(w_1^2 + w_2^2 + w_3^2)$
의 값을 구하시오.

(단, T는 transpose를 의미한다.)

26. 3차원 공간에 함수 $f(x,y,z) = x + xy + ye^{xz}$

가 주어져 있다. 3차원의 단위벡터를

$\vec{u} = a\vec{i} + b\vec{j} + c\vec{k}$ 중 점 $(1,1,0)$ 에서의

f의 $\vec{u}$방향에 대한 방향미분값을

가장 크게 만드는 $\vec{u}$를 찾고,

이 때 $a + b + c$의 값을 구하시오.

27. 평면 상에 $-1 \leq x \leq 1$, $-1 \leq y \leq 1$로

주어진 영역 T위에서 함수 $f(x,y) = x^2y + y^3$의

최댓값을 M이라 하고 최솟값을 m이라 하자.

이때, 이 두 값의 곱 Mm 을 구하시오.

28. 3차원 공간 내의 평행육면체 X의

8개의 꼭짓점 중 네 개가

$O(0,0,0), P(1,2,3), Q(-3,5,1) R(2,2,4)$ 이며,

12개의 변들 중 세 개가 $\overline{OP}, \overline{OQ}, \overline{OR}$이라 한다.

이 때, X의 부피를 구하시오.

29. 급수 $\displaystyle\sum_{n=1}^{\infty} \frac{n^2}{3^n}$ 의 값을 계산하시오.

30. S가 3차원 공간 안에서 $x^2 + y^2 + z^2 = 9$, $x \geq 0$으로 주어지는 반구 모양의 곡면이라 하고, 방향이 원점을 향한 쪽으로 주어져 있다고 한다.

벡터장 $\vec{F}(x,y,z) = z\vec{i} + xz\vec{j} + \vec{k}$ 에 대하여, 다음 면적분의 값을 계산하시오.

$$\int\int_S \vec{F} \cdot d\vec{S}$$

(이 때, $\displaystyle\int\int_S \vec{F} \cdot d\vec{S} = \int\int_S \vec{F} \cdot \vec{n} dS$

이며, $\vec{n}$은 곡면 S의 각 점에서 문제에 주어진 방향으로의 단위 법선벡터이고, dS는 단위면적소이다.)

2020학년도 이화여자대학교 30문항 100분

1. 다음은 0이 아닌 실수 전체에서 정의된 두 함수 $f(x) = x^2 + \dfrac{2}{x}$, $g(x) = ax + 3$의 교점에 대한 설명이다. (a는 임의의 실수) 옳은 것을 모두 고르시오.

> a. $f(x)$와 $g(x)$의 교점의 개수는 3개 이하이다
>
> b. $f(x)$와 $g(x)$의 서로 다른 교점의 개수가 정확히 2개가 되는 실수 a가 존재한다.
>
> c. $f(x)$와 $g(x)$의 교점이 없는 실수 a가 존재한다.

① a ② b ③ c ④ a,c ⑤ a,b

2. 정의역이 $\{x|y \geq 0\}$인 함수 $f(x) = e^{x^3 + x}$는 역함수를 갖는다. 최고차항의 계수가 1인 어떤 실수계수 이차함수 $g(x)$에 대하여 $h(x) = (f \circ g \circ f^{-1})(x)$로 정의할 때, $h(1) = (h \circ h)(1) = e^{10}$을 만족한다고 한다. $g(1)$의 값을 구하시오.

① -2 ② -1 ③ 0 ④ 1 ⑤ 2

3. 실수 x에 대하여 $[x]$는 x보다 크지 않은 가장 큰 정수이다. 주어진 설명 중 옳은 것을 모두 고르시오.

> a. $y = [x]$와 $y = x - 1$은 무한히 많은 교점을 갖는다.
>
> b. 정의역 $[-1, 1]$에서 $y = [x]$와 $y = [x^3]$의 그래프는 같다.
>
> c. $y = [x]$와 $y = \dfrac{2019}{2020}x$의 교점의 개수는 2020개다.
>
> d. $y = [x]$와 $y = \dfrac{2019}{2020}x - \dfrac{2019}{2020}$의 교점의 개수는 2019개다.

① a,b ② a,c ③ b,c ④ b,d ⑤ c,d

4. 급수 $\displaystyle\sum_{n=3}^{\infty} \dfrac{(n+1)^2}{2^n(n-2)}$의 값을 구하시오.

① $\ln 2 + \dfrac{5}{2}$ ② $\dfrac{9}{4}\ln 2 + \dfrac{11}{4}$

③ $\dfrac{9}{4}\ln 2 + 2$ ④ $\dfrac{5}{4}\ln 2 + \dfrac{3}{4}$

⑤ $\dfrac{1}{4}\ln 2 + \dfrac{13}{4}$

- 1 -

5. 급수

$\sum_{r=2}^{8}\binom{8}{r}2^{8-r}(-3)^r$의 값을 계산하시오.

$\left(단, \binom{8}{r}={}_8C_r\right)$

① $9 \cdot 2^8 - 1$　② $5 \cdot 2^9 - 1$　③ $5 \cdot 2^9 + 1$
④ $11 \cdot 2^8 + 1$　⑤ $13 \cdot 2^8 + 1$

6. 다음 급수들 중 수렴하는 것을 모두 고르시오.

$a. \sum_{n=3}^{\infty}\dfrac{\tan\left(\dfrac{1}{n}\right)}{\ln n}$

$b. \sum_{n=1}^{\infty}\dfrac{2n+(-1)^n}{n^3}$

$c. \sum_{n=1}^{\infty}\dfrac{2^n n!}{n^n}$

$d. \sum_{n=2}^{\infty}\left(1-\dfrac{1}{n}\right)^{n^2}$

① b,d　② a,b,c　③ b,c,d　④ a,b,d
⑤ a,b,c,d

7. 3차원 공간 상의 세 점 P=(1,1,0), Q=(2,1,-1), R=(1,-1,2)을 꼭짓점으로 가지는 삼각형의 넓이를 구하시오.

① $\dfrac{1}{2}$　② 1　③ $\sqrt{3}$　④ $2\sqrt{3}$　⑤ 2

8. 극한 $\lim_{x\to 0}(1-\tan x)^{1/x}$의 값을 구하시오.

① $-e$　② $\dfrac{-1}{e}$　③ 1　④ e　⑤ $\dfrac{1}{e}$

9. 3차원 공간 상에서 집합

$$\left\{\begin{array}{l}(1,-1,7)+r(2,1,3)+s(1,5,2)+t(-1,1,3)\\ 1\le r\le 2, 2\le s\le 4, 0\le t\le a\end{array}\right\}$$

이 나타내는 영역의 부피가 39가 되게 하는 양수 a값을 구하시오.

① $\dfrac{1}{2}$ ② 1 ③ $\dfrac{3}{2}$

④ 2 ⑤ $\dfrac{5}{2}$

10. $0\le k\le 1$ 을 만족하는 모든 정수쌍 k,l에 대하여 실수 $a_{l,k}$가 주어져 있으며, 다음의 조건을 만족한다.

1) $a_{0,0}=1$, $a_{l,0}=a_{l-1,0}$ (모든 $l\ge 1$에 대하여),

2) $a_{l,k}=a_{l,k-1}+a_{l-1,k}$
($0<k<l$인 모든 k,l에 대하여),

3) $a_{l,l}=a_{l,l-1}$ (모든 $l\ge 1$에 대하여).

이 때, $a_{6,6}-\displaystyle\sum_{k=0}^{5}a_{5,k}$의 값을 구하시오.

① 5 ② 14 ③ 132 ④ 42 ⑤ 0

11. 4×4 크기의 두 행렬 A,B가 $\det(A)=2$, $\det(-B)=1$를 만족시킬 때, $\det(2A^{-1}B^{t})$의 값을 구하시오.
(단, $\det$는 행렬식을 의미하고 B^{t}는 B의 전치행렬을 의미한다.)

① -8 ② -1 ③ 1 ④ 8 ⑤ 32

12. 다음의 행렬 A가 비가역이 되게 하는 모든 x값들의 합을 구하시오.

$$A=\begin{pmatrix}-1 & x & 0 & 0\\ x-1 & x & 0 & 2\\ 0 & -1 & x-3 & \\ 0 & 0 & -1 & x\end{pmatrix}$$

① -4 ② -2 ③ 0 ④ 2 ⑤ 4

- 3 -

13. 다음 적분값을   계산하시오.

$$\int_1^e \frac{(\ln x)^2}{x\left(1+(\ln x)^3\right)}\,dx$$

① $\dfrac{\ln 2}{3}$ ② $\ln 2$ ③ $\dfrac{\ln\left(1+e^3\right)-\ln 2}{3}$

④ $\ln\left(1+e^3\right)-\ln 2$ ⑤ $\dfrac{1}{2e}$

14. 좌표 평면의 원점을 제외한 모든 부분에서 정의된 두 함수 $P(x,y)=-y/(x^2+y^2)$, $Q(x,y)=x/(x^2+y^2)$를 생각하자. C_1을 중심이 $(2020,2020)$이고 반지름이 2020인 원이라 하고 C_2를 중심이 $(2020,2020)$이고 반지름이 4040인 원이라 하자. 이 두 원에 시계반대 방향의 향($ORIENTATION$)이 주어져있을때, 선적분 $\displaystyle\int_{C_1} Pdx+Qdy$의 값을 a_1이라 하고, 선적분 $\displaystyle\int_{C_2} Pdx+Qdy$ 의 값을 a_2라 하자. 이 때, a_1-a_2의 값을 구하시오.

① 0 ② -2020π
③ -4040π ④ 2π ⑤ -2π

15. 3차원 공간 상에서 $y=xz$와 $x^2+z^2\le 1$을 만족하는 모든 점들로 이루어진 곡면의 넓이를 구하시오.

① $\dfrac{2\pi}{3}$ ② $\dfrac{2\pi}{3}(2\sqrt{2}-1)$ ③ $\dfrac{4\pi}{3}(2\sqrt{2}-1)$

④ $\dfrac{2\sqrt{2}\,\pi}{3}$ ⑤ $\pi(2\sqrt{2}-1)$

16. 3차원 공간 상의 영역 $x^2+2y^2+z^2\le 4$에서 정의된 함수 $f(x,y,z)=x+yz$의 최댓값을 구하시오.

① $\sqrt{2}$ ② $\dfrac{3\sqrt{2}}{2}$ ③ $\dfrac{7\sqrt{2}}{4}$

④ $2\sqrt{2}$ ⑤ 2

17.

$$\frac{\int_0^{\pi/2}(\cos x)^{2020}dx}{\int_0^{\pi/2}(\cos x)^{2018}dx}$$ 의 값을 계산하시오.

① $\frac{2019}{2020}$ ② $\frac{-2019}{2020}$ ③ $\frac{2019}{2}$

④ $\frac{-2019}{2}$ ⑤ $\frac{2020}{2018}$

18. 극한들 중 수렴하는 것을 모두 고르시오.

$a.\ \lim_{(x,y)\to(0,0)}\frac{x\sin(x^2+y^2)}{x^2+y^2}$

$b.\ \lim_{(x,y)\to(0,0)}\frac{(x+y)(x^2+xy+y^2)}{x^2+y^2}$

$c.\ \lim_{(x,y)\to(0,0)}\frac{x(x^2+y^2)}{x^2+y^4}$ $d.\ \lim_{(x,y)\to(0,0)}\frac{x^2y}{x^3+y^3}$

① a,b ② a,b, c ③ a,b,c,d ④ b,c ⑤ d

19. 3차원 공간상에서 평면

$4x-2y+z=-1$의 점과 곡면

$z=x^2+y^2+6$의 점 사이의 거리의

최솟값을 구하시오.

① $\frac{1}{\sqrt{21}}$ ② $\frac{2}{\sqrt{21}}$ ③ $\frac{3}{\sqrt{21}}$

④ $\frac{5}{\sqrt{21}}$ ⑤ $\frac{7}{\sqrt{21}}$

20. 행렬 $\begin{pmatrix}1 & 2 & 3\\2 & 100 & -1\\3 & -1 & -100\end{pmatrix}$ 의 고윳값들을 α,β,γ

라고 하자. $\alpha\beta+\beta\gamma+\gamma\alpha$의 값을 구하시오.

① 0 ② 1 ③ -100000

④ 10014 ⑤ -10014

- 5 -

※[21-30] 21번부터 30번까지의 문제는 다음 보기에서 답을 고르시오.
동일한 보기를 여러 문제에서 중복해서 사용할 수 있음.

① $\dfrac{e}{2}$	② -1	③ 0	④ $\pi+1$	⑤ $\dfrac{3}{4}$
⑥ 2π	⑦ 4π	⑧ $\dfrac{e^2}{2}$	⑨ 7	⑩ 1
⑪ $\dfrac{e-1}{2}$	⑫ $\dfrac{e^2+1}{2}$	⑬ $\dfrac{14\pi}{3}$	⑭ 8π	⑮ $3e$
⑯ $4e$	⑰ 2	⑱ $e-1$	⑲ 12	⑳ $\dfrac{1}{2}$

21. 다음 세 무한급수의 수렴반경들 가장 큰 수렴반경과 가장 작은 수렴반경의 곱을 구하시오.

$$a.\ \sum_{n=1}^{\infty}\frac{n!\,x^{n+1}}{n^n} \quad b.\ \sum_{n=1}^{\infty}\frac{\sqrt{n}\,x^{2n}}{9^n} \quad c.\ \sum_{n=1}^{\infty}\frac{(n!)^2 x^n}{(2n)!}$$

22. 정의역과 공역이 실수 전체이며 두 번 미분가능한 함수 $f(x)$가

$$f'(1)=2f'(2)\neq 0,$$

$$\lim_{x\to 1}\frac{(f(2x)-1)^2}{(x-1)f(x)-\ln x}=-2$$

를 만족할 때,

$f(1)+f(2)+f'(1)+f'(2)$의 값을 구하시오.

23. 정의역과 공역이 실수 전체인 함수 $f(x)$가 미분가능하고 $\lim\limits_{x\to\infty}f'(x)=3$일 때, $\lim\limits_{x\to\infty}[f(x+2)-f(x-2)]$를 구하시오.

24. 좌표평면 상에서 극좌표로 기술된 두 곡선 $r=1+\sin\theta$와 $r=\cos\theta$에 대하여, $r=1+\sin\theta$의 내부와 $r=\cos\theta$의 외부로 이루어진 영역의 넓이를 구하시오.

25. 복소수 $z = \dfrac{1+\sqrt{3}\,i}{2}$ 에 대하여

$$\sum_{n=-1886}^{2019} (-1)^{n+\delta(n)} z^n = a + b\sqrt{3}\,i$$

일 때, ab의 값을 구하시오.
단, a, b는 실수이고,
함수 δ는 다음과 같이 정의된다.

$$\delta(n) = \begin{cases} 0,\ n \geq 0 \\ 1,\ n < 0 \end{cases}$$

26. 다음 적분값을 계산하시오.

$$\int_0^2 \int_0^{2-z} \int_0^{\sqrt{(2-z)^2 - y^2}} \sqrt{9(x^2+y^2)}\,dxdydz$$

27. 3차원 공간상에서 곡면 $z = y^2/2$와

곡면 $\sqrt{3}\,e^{2x} = y$이 만나서 생기는 곡선 중

$1 \leq y \leq e$인 부분의 길이를 구하시오.

28. 3차원 공간 상에서 곡면
$z = \sqrt{3(x^2+y^2)}$ 보다 위에 있고 구면
$x^2+y^2+z^2 = 4z$ 안에 있는 영역의 부피를
구하시오.

29. 좌표평면 상에서 점 $(0,0), (1,0), (2,1)$을 세 꼭짓점으로 가지는 삼각형으로 둘러싸인 영역을 A라 할 때, 다음 적분값을 계산하시오.

$$\int\int_A e^{(x-y)^2}dxdy$$

30. 3차원 공간 상에서 곡면 S가

$$xy+2yz+2zx=28, \ x>0, y>0, z>0$$

으로 주어져 있다. S에 속하는 점 (x_0, y_0, z_0)에 대하여 이 점을 지나고 S와 접하는 접평면을 P라 하고, P와 xy평면이 이루는 이면각을 θ_1, P와 yz평면이 이루는 이면각을 θ_2, 그리고 P와 xz평면이 이루는 이면각을 θ_3라고 하자. $\theta_1 = \theta_2 = \theta_3$을 만족시키는 S의 점 (x_0, y_0, z_0)에 대하여, $x_0+y_0+z_0$의 값을 구하시오.

2021학년도 이화여자대학교 편입수학 30문항 100분

1. 다음과 같이 정의된 수열 x_n의 극한값 $\lim_{n \to \infty} x_n$을 구하시오.

$$x_{n+1} = 2 + \left(x_n^2 - 8\right)^{\frac{1}{3}}, \, n = 1, 2, 3, \cdots,$$

$$x_1 = \frac{2\pi}{3}$$

① 0　　② 1　　③ 2　　④ 3　　⑤ 4

2. 극한 $\lim_{x \to \infty}\left(x - x^2 \ln\left(\frac{1+x}{x}\right)\right)$의 값을 구하시오.

① -1　　② $-\frac{1}{2}$　　③ 0

④ $\frac{1}{2}$　　⑤ 1

3. 급수 $\displaystyle\sum_{k=2}^{2021}\binom{2021}{k}2^k(-1)^{2021-k}$의 값을 구하시오. (단, $\binom{2021}{k} = {}_{2021}C_k$)

① -4040　　② -2021　　③ 2020

④ 2021　　⑤ 4040

4. 다음의 특이적분(improper integral) 중 수렴하는 것을 모두 찾으시오.

a. $\displaystyle\int_1^\infty \frac{\tan^{-1}x}{x^2}dx$　　　b. $\displaystyle\int_{-\infty}^0 \frac{e^{\frac{1}{x}}}{x^2}dx$

c. $\displaystyle\int_0^\infty \frac{x}{1+x^2}dx$　　　d. $\displaystyle\int_{-\infty}^\infty \operatorname{sech} x \, dx$

① a, b, c　　② a, b, d　　③ a, c, d

④ b, c, d　　⑤ a, b, c, d

5. 다음이 급수들 중 수렴하는 것을 모두 찾으시오.

a. $\displaystyle\sum_{n=8}^{\infty}\frac{1}{n\cdot lnn\cdot(\ln(\ln n))^2}$

b. $\displaystyle\sum_{n=1}^{\infty}\left(\sqrt{n+\frac{1}{n}}-\sqrt{n}\right)$

c. $\displaystyle\sum_{n=1}^{\infty}\frac{(n+1)^n}{n^{n+1}}$

d. $\displaystyle\sum_{n=1}^{\infty}(-1)^n n\tan\left(\frac{1}{n}\right)$

① a, b   ② a, c   ③ b, c
④ b, d   ⑤ c, d

6. 다음의 급수에 대한 설명 중 옳은 것을 모두 찾으시오.

a. $\displaystyle\sum_{n=1}^{\infty}x_n$이 수렴하면 $\displaystyle\sum_{n=1}^{\infty}x_{2n}$도 수렴한다.

b. $\displaystyle\sum_{n=1}^{\infty}x_n$과 $\displaystyle\sum_{n=1}^{\infty}y_n$이 각각 수렴하면

$\displaystyle\sum_{n=1}^{\infty}x_n y_n$도 수렴한다.

c. $\displaystyle\sum_{n=1}^{\infty}|x_n|$이 수렴하면 $\displaystyle\sum_{n=1}^{\infty}x_n^2$도 수렴한다.

d. $\displaystyle\sum_{n=1}^{\infty}x_n^2$이 수렴하면 $\displaystyle\sum_{n=1}^{\infty}\left|\frac{x_n}{n}\right|$도 수렴한다.

① a, b   ② a, c   ③ b, c
④ b, d   ⑤ c, d

7. 영역 $\left(-\infty,\frac{3}{4}\right)$에서 정의된 함수

$f(x)=x^4-x^3+1$에 대하여 $g(x)=f\big(7f^{-1}(x)\big)$라 할 때, $g'(3)$을 구하시오.

① -1519 ② -217 ③ 217
④ 1519 ⑤ -1

8. 3×3행렬 $A=\begin{pmatrix}4&-5&3\\0&2&-2\\1&0&-1\end{pmatrix}$의

고윳값(eigenvalue)들을 모두 더한 값과 곱한 값을 각각 a,b라 하자. ab의 값을 구하시오.

① -40 ② -20 ③ 0 ④ 20 ⑤ 40

9. 3×3 행렬 $A = \begin{pmatrix} -1 & 2 & 4 \\ 0 & 3 & 7 \\ 0 & 0 & -2 \end{pmatrix}$ 에 대하여

$A = PDP^{-1}$ 를 만족하는 행렬 $D = \begin{pmatrix} d_1 & 0 & 0 \\ 0 & d_2 & 0 \\ 0 & 0 & d_3 \end{pmatrix}$ 에

대하여 세 수의 곱 $d_1 d_2 d_3$ 의 값을 구하시오.

① -28　　　　② -21　　　　③ 6

④ 8　　　　　⑤ 14

11. 3차원 공간 벡터 u, v, w 에 대하여 다음 중 옳은 것을 모두 찾으시오.
(단, $\bullet$ 는 내적(inner product), $\times$ 는 외적(cross product), $\| \ \|$ 는 놈(norm)이다.)

a. $u \bullet (u \times v) = 0$

b. $u \bullet v = 0$ 이고 $u \times v = 0$ 이면 $u = 0$ 이거나, $v = 0$ 이다.

c. $u \times v = u \times w$ 이면 $v = w$ 이다.

d. $|u \bullet (v \times w)| \leq \| u \| \| v \| \| w \|$

① a, b　　　　② b, c　　　　③ a, b, d
④ a, c, d　　　⑤ a, b, c

10. 아래에 주어진 멱급수(power series)들의 수렴반경 (radius of convergence)을 각각 R_1, R_2 라 하자. 두 수의 곱 $R_1 R_2$ 의 값을 구하시오.

$$\sum_{n=2}^{\infty} (-1)^n \frac{(x+3)^n}{n2^n} \qquad \sum_{n=2}^{\infty} n(n-1)(2x)^n$$

① 0　　② $\dfrac{1}{2}$　　③ 1　　④ 2　　⑤ ∞

12. x 에 대한 방정식
$-\dfrac{1}{2}\cos(2x) + \cos x - \alpha = 0$ 이 구간
$[-\pi, \pi]$ 에서 서로 다른 4개의 실근을 가지도록 하는 α 의 값의 범위를 구하시오.

① $\left(0, \dfrac{1}{2}\right)$　　　② $\left(0, \dfrac{3}{4}\right)$

③ $(0, 1)$　　　④ $\left(\dfrac{1}{2}, 1\right)$　　　⑤ $\left(\dfrac{1}{2}, \dfrac{3}{4}\right)$

13. $n \times n$행렬 A에 대하여 다음 중
동등한(equivalent) 명제가 아닌 것을 찾으시오.

a. A가 가역(invertible)이다.
b. $\det(A) \neq 0$
c. A의 행벡터(row vector)들이
일차독립(linearly indent)이다.
d. A의 랭크(rank)가 n 이다.
e. $\lambda = 0$이 A의 고윳값(eigenvalue)이다.

① a ② b ③ c ④ d ⑤ e

14. 세 변의 길이가 각각 a, b, c인 삼각형이
있다. $a + b + c = 12$이며
$a^2 + b^2 + c^2 - ab - bc - ca = 0$일 때
이 삼각형의 넓이를 구하시오.

① $\sqrt{3}$ ② $2\sqrt{3}$ ③ $3\sqrt{3}$
④ $4\sqrt{3}$ ⑤ $5\sqrt{3}$

15. u는 3차원 공간의 단위벡터(unit vector)이
며 벡터 $i - j$와 $i + j + k$에 대해 각각 직교할
때 벡터 u가 될 수 있는 것을 모두 구하시오.
(단, i, j, k는 표준 단위 벡터이다.)

a. $\dfrac{1}{\sqrt{6}}(i + j - 2k)$ b. $\dfrac{1}{\sqrt{6}}(-i + j + 2k)$

c. $\dfrac{1}{\sqrt{6}}(i - j - 2k)$ d. $\dfrac{1}{\sqrt{6}}(-i - j + 2k)$

① a, c   ② b, c   ③ a, d
④ c, d   ⑤ b, d

16. 적분 $\displaystyle\int_0^1 \int_{\sin^{-1}y}^{\pi/2} \dfrac{\cos x}{1 + \cos^2 x} \, dx \, dy$의 값을 구
하시오.

① $\dfrac{1}{3}\ln 3$ ② $\dfrac{1}{2}\ln 2$ ③ $\dfrac{1}{4}\ln 3$
④ $\dfrac{1}{4}\ln 2$ ⑤ $\dfrac{1}{3}\ln 2$

17. 실수 x에 대하여 함수 $f(x)=x+x^2+x^3$이다. 이 때 적분 $\displaystyle\int_0^3 \frac{1}{f'\left(f^{-1}(x)\right)\left(1+\left(f^{-1}(x)\right)^2\right)}dx$ 의 값을 구하시오.

① $\tan^{-1}1$ ② $2\tan^{-1}1$ ③ $3\tan^{-1}1$

④ $2\tan^{-1}3$ ⑤ $3\tan^{-1}3$

18. 다항식 $f(x)=x^2-\sqrt{2}\,x+2$ 에 대하여 $f(x^6)$을 $f(x)$로 나눈 나머지를 구하시오.

① $60-8\sqrt{2}$ ② $60-4\sqrt{2}$

③ $66+8\sqrt{2}$

④ $60+4\sqrt{2}$ ⑤ $66-8\sqrt{2}$

19. 평면 $2x-2y+z-1=0$과 평행하고 이 평면과 거리가 1인 위치에 있는 평면의 방정식을 모두 찾으시오.

a. $2x-2y+z-4=0$ b. $2x-2y+z-2=0$

c. $2x-2y+z=0$ d. $2x-2y+z+2=0$

① a, b   ② a, d   ③ b, c

④ a, c   ⑤ b, d

20. 다음 명제 중 옳은 것을 모두 찾으시오. (아래의 보기 a와 b에서 C 는 평면곡선을 나타내며 $-C$ 는 C 와 같은 점으로 구성되지만 반대 방향을 가진 곡선이다.)

a. $\displaystyle\int_C f(x,y)dx = -\int_{-C} f(x,y)dx$

b. $\displaystyle\int_C f(x,y)ds = -\int_{-C} f(x,y)ds$

(단, $\displaystyle\int_C f(x,y)ds$ 는 곡선 C 위에서 선적분을 나타낸다.)

c. $f(x,y)=\cos x+\sin y$ 일 때 $|D_u f| \leq \sqrt{2}$ 이다.(단, $D_u f$는 단위벡터 u방향에 대한 f의 방향도함수이다.)

d. $\displaystyle\int_{-1}^1 \int_{-1}^1 \sin(x^2+y^2)\tan y\,dy\,dx = 0$

① a, c   ② b, c   ③ b, d

④ a, c, d   ⑤ a, b, d

【21~30】21번부터 30번까지의 문제는 다음 보기에서 답을 고르시오. 동일한 보기를 여러 문제에서 중복해서 사용할 수 있음.

<보기>

① 10　　　② $\dfrac{1}{15}$　　③ $\dfrac{2}{5}$　　④ 4

⑤ $\sqrt{5}$　　⑥ 6　　　⑦ 7　　⑧ 8

⑨ $\dfrac{2}{15}$　　⑩ $\dfrac{1}{5}$　　⑪ π　　⑫ $1+\pi$

⑬ $\dfrac{\pi}{2}$　　⑭ $\dfrac{\pi}{4}$　　⑮ π^2　　⑯ $\dfrac{2+\sqrt{2}}{2}$

⑰ $\dfrac{1-\sqrt{2}}{2}$　　⑱ -6　　⑲ -8　　⑳ -10

21. a, b는 구간 $[1, 10]$에 존재하는 자연수이다. 2차 함수 $f(x) = 4x^2 + 4(a+b)x + 4ab + 1$의 그래프와 x축이 만나지 않게 되는 순서쌍 (a, b)의 개수를 구하시오.

22. 가로, 세로, 높이가 각각 x, y, z인 직육면체의 모든 모서리 길이의 합이 24이다. 이 직육면체의 부피가 최대가 될 때, 직육면체의 부피를 구하시오.

23. 무한급수 $\displaystyle\sum_{n=2}^{\infty} \dfrac{\sqrt{n+1}-\sqrt{n-1}}{\sqrt{n^2-1}}$ 값을 구하시오.

24. 급수 $\displaystyle\sum_{n=0}^{\infty}\frac{(-1)^n}{2n+1}$ 의 값을 구하시오.

(힌트 : $\displaystyle\frac{1}{1+x^2}=\sum_{n=0}^{\infty}(-1)^n x^{2n}$)

26. 음이 아닌 모든 실수 x 에 대하여 다음의 수식 $\sin^{-1}\left(\dfrac{x-1}{x+1}\right)=a\tan^{-1}\left(x^b\right)+c$ 을 만족시키는 상수 a, b, c를 구하고 $2b-ac$ 의 값을 구하시오.

(단, $\sin^{-1} : [-1, 1] \rightarrow \left[-\dfrac{\pi}{2}, \dfrac{\pi}{2}\right]$,

$\tan^{-1} : (-\infty, \infty) \rightarrow (-1, 1)$ 이다.)

25. $-\dfrac{\pi}{4} \le x \le \dfrac{\pi}{4}$ 에 대하여 두 곡선 $y=2\cos x$와 $y=\sec x$로 둘러싸인 영역을 S 라고 하자. 영역 S 를 x 축을 중심으로 회전시켜 얻은 회전체의 부피를 구하시오.

27. 실수체 R위의 벡터공간 R^3의 기저(basis) $\{v_1, v_2, v_3\}$에 대하여 모든 성분이 실수인 3×3 행렬 A가 $(A-I)(v_1+v_2)=0$, $(A-2I)(v_2+v_3)=0$, $(A+4I)(v_3+v_1)=0$을 만족시킬 때 A 의 행렬식 (determinant) $\det(A)$의 값을 구하시오.

(단, I 는 3×3 단위행렬이다.)

28. 3차원 영역 E 는 포물 기둥 (paradolic cylinder) $y = x^2$ 과 평면 $x = z$, $x = y$, $z = 0$ 로 유계된 입체이다. 적분 $\iiint_E (x + 2y)\, dV$ 의 값을 구하시오.

30. 함수 $f(x)$ 는 모든 실수 x 에 대하여 연속이며 다음의 수식

$$\sin x \int_0^x f(t)\, dt - \int_0^x \sin t\, f(t)\, dt = \cos^2 x$$

을 만족한다. $-4\pi \le a \le 4\pi$ 인 상수 a 에 대해 함수 $g(x) = \sin(|x - a|) f(x)$ 이다.

이 때 함수 $g(x)$ 를 모든 실수 집합에서 미분가능 하도록 하는 a 의 개수를 구하시오.

29. 극한값 $\displaystyle \lim_{x \to \infty} x^{\frac{\ln 5}{1 + 2\ln x}}$ 을 구하시오.

2022학년도 이화여자대학교 30문항 100분

01. 함수 $f(x) = x^6 - 7x^4 + 16x^2 - 6$의 실근의 개수를 구하시오.

① 0   ② 2   ③ 3   ④ 4   ⑤ 6

03. 다음 식을 성립하게 하는 값 a를 구하시오.

$$\lim_{x \to \infty} \left(\frac{x+a}{x-a} \right)^x = e^2$$

① -2 ② -1 ③ 0
④ 1 ⑤ 2

02. 자연수 n에 대하여 $\sum_{i=0}^{n} \binom{2n+1}{2i}$의 값을 구하시오.

① 2^{2n} ② 2^{2n+1} ③ 2^{2n-1}
④ 2^n ⑤ 2^{n-1}

04. 실수 전체에서 정의된 연속함수 $f(x)$가 다음을 만족한다.
$f(x) + f(x+1) + \cdots + f(x+2021) = e^{2021x}$ 이때,
$\int_0^{2022} f(x)dx$의 값을 구하시오.

① $e^{2021} - 1$ ② $e^{2022} - 1$

③ $\dfrac{e^{2021} - 1}{2021}$ ④ $\dfrac{e^{2022} - 1}{2022}$ ⑤ 2022

- 1 -

05. 좌표공간에 주어진 평행사변형을 xy, yz, xz 평면에 정사영한 것들의 넓이가 각각 $1, 4, 8$ 이라 하자. 이 때, 평행사변형의 넓이의 제곱값을 구하시오.

① 49   ② 36   ③ 16
④ 25   ⑤ 81

06. 실수 $-\dfrac{\pi}{2} < x < \dfrac{\pi}{2}$ 에서 정의된 함수 $f(x) = (\sin^2 x)e^{-x}$ 가 $x = \alpha$ 에서 극댓값을 갖는다. $\cos\alpha$ 의 값을 구하시오.

① $\dfrac{1}{5}$ ② $\dfrac{\sqrt{2}}{5}$ ③ $\dfrac{\sqrt{3}}{5}$
④ $\dfrac{2}{5}$ ⑤ $\dfrac{\sqrt{5}}{5}$

07. 함수 $f(x) = \sin^2 x$ 의 $x = 0$ 에서의 4차 테일러 다항식을 $T_4(x)$ 라고 하자. 이 때, $T_4(1)$ 의 값을 구하시오.

① 1   ② $\dfrac{2}{3}$ ③ $\dfrac{41}{60}$
④ $\dfrac{32}{45}$ ⑤ $\dfrac{59}{90}$

08. 3차원 공간벡터 $\vec{a}, \vec{b}, \vec{c}$ 에 대하여 다음 중 옳은 것을 모두 고르시오.
(단, $\vec{0}$ 은 영벡터(zero vector), $\bullet$ 은 내적(inner product), $\times$ 는 외적(cross product), $\| \ \|$ 는 놈(norm)이다.)

a. $(\vec{a} \times \vec{b}) \times \vec{c} = (\vec{a} \bullet \vec{c})\vec{b} - (\vec{b} \bullet \vec{c})\vec{a}$

b. 영벡터가 아닌 벡터 $\vec{a}$ 에 대하여 $\vec{a} \bullet \vec{b} = 0$ 이고, $\vec{a} \times \vec{b} = \vec{0}$ 이면, $\vec{b} = \vec{0}$ 이다.

c. 모든 $\vec{x} \in R^3$ 에 대하여 $\vec{a} \bullet \vec{x} = \vec{b} \bullet \vec{x}$ 이면, $\vec{a} = \vec{b}$ 이다.

d. $\| \vec{a} \times \vec{b} \| = \| \vec{a} \| \| \vec{b} \|$

① a, b, c   ② a, b, d   ③ a, c, d
④ b, c, d   ⑤ a, b, c, d

09. 평면 위의 위치벡터 $\vec{a}=(2,3)$와 평면 위의 타원 $\dfrac{x^2}{9}+\dfrac{y^2}{4}=1$ 위를 움직이는 점 P에 대해 $\vec{a}\cdot\overrightarrow{OP}$의 최댓값을 구하시오. (단, O는 원점을 의미한다.)

① $\sqrt{2}$　　　② $\dfrac{3\sqrt{2}}{2}$　　　③ $\dfrac{5\sqrt{2}}{2}$

④ $6\sqrt{2}$　　　⑤ $\dfrac{13\sqrt{2}}{2}$

10. 2차원에서 영역 D가 $(0,0),(1,0),(0,1)$을 연결한 삼각형이라고 하자. 다음 면적분을 구하시오. (단, dA는 면적소이다.)

$$\iint_D (1-x-y)dA$$

① 0　　　② $\dfrac{1}{6}$　　　③ $\dfrac{2}{3}$

④ $\dfrac{7}{6}$　　　⑤ $\dfrac{3}{2}$

11. 다음 급수의 수렴 범위를 구하시오.

$$\sum_{n=2}^{\infty}\frac{1}{(\ln n)^2}x^n$$

① $-1\le x<1$　　　② $-1<x\le 1$
③ $-e\le x<e$　　　④ $-e<x\le e$
⑤ $-e\le x\le e$

12. 다음의 급수들 중 수렴하는 것을 모두 고르시오.

a. $\displaystyle\sum_{n=8}^{\infty}\frac{1}{n\cdot lnn\cdot ln(\ln n)}$　　　b. $\displaystyle\sum_{n=2}^{\infty}2^{-n}n^{\ln n}$

c. $\displaystyle\sum_{n=1}^{\infty}\frac{n!}{n^n}$　　　d. $\displaystyle\sum_{n=1}^{\infty}\frac{1\cdot 3\cdots(2n-1)}{2\cdot 4\cdot 6\cdots(2n)}$

① a, b　　　② a, c　　　③ b, c
④ b, d　　　⑤ c, d

13. 곡선
$$X(t)=\left(\frac{2t}{\pi(1+t^2)},\frac{4(1-t^2)}{1+t^2}\right)(0 \le t \le 1)$$에
대하여 선적분 $\int_X x\,dy$ 를 구하시오.

① -2　　　② -1　　　③ 0
④ 1　　　　⑤ 2

14. 다음 특이적분(improper integral) 중
수렴하는 것을 모두 고르시오.

a. $\displaystyle\int_0^1 \ln x\,dx$　　　　b. $\displaystyle\int_0^1 \frac{1}{\sqrt{x}}\sin\frac{1}{x}dx$

c. $\displaystyle\int_1^\infty \frac{\sin x}{x}dx$　　　d. $\displaystyle\int_2^\infty \frac{\ln x}{x}dx$

① a, b　　　② a, b, c　　　③ a, b, d
④ a, c, d　　⑤ b, c, d

15. 다음과 같이 정의된 함수 중 평등연속
(uniformly continuous)인 함수를 모두
고르시오. (단, R은 실수 전체의 집합이다.)

a. $f:[0,\infty)\to R,\ f(x)=e^{-x}$

b. $f:(0,1)\to R,\ f(x)=\sin\left(\frac{1}{x}\right)$

c. $f:R\to R,\ f(x)=e^{\cos x}$

d. $f:R\to R,\ f(x)=\cos(x^2)$

① a, b　　② a, c　　③ a, d
④ b, c　　⑤ c, d

- 4 -

16. 다음 급수의 성질 중 옳은 것을 모두 고르시오.

a. 두 급수 $\sum_{n=1}^{\infty} a_n$, $\sum_{n=1}^{\infty} b_n$이 모두 수렴하면, 급수 $\sum_{n=1}^{\infty} a_n b_n$도 수렴한다.

b. 급수 $\sum_{n=1}^{\infty} a_n$이 수렴하고, 급수 $\sum_{n=1}^{\infty} b_n$이 절대수렴하면, 급수 $\sum_{n=1}^{\infty} a_n b_n$도 절대수렴한다.

c. 양항급수 $\sum_{n=1}^{\infty} a_n$이 수렴하면, 급수 $\sum_{n=1}^{\infty} \sqrt{a_n}$도 수렴한다.

d. 급수 $\sum_{n=1}^{\infty} n a_n$이 수렴하면, 급수 $\sum_{n=1}^{\infty} a_n$이 수렴한다.

① a, b   ② a, d   ③ b, c

④ b, d   ⑤ c, d

17. 각 자연수 n에 대하여 f_n, g_n은 실수의 부분집합 $E \subset R$에서 정의된 실수함수이다. 다음 중 함수수열 $\{f_n\}_{n=1}^{\infty}$, $\{g_n\}_{n=1}^{\infty}$에 대한 설명 중 옳은 것을 모두 고르시오.

a. f_n이 f로 평등수렴 (uniform convergence)하면, 점별수렴 (pointwise convergence)한다.
b. 각각의 f_n이 연속이고, f로 평등수렴하면 f도 연속이다.
c. f_n과 g_n 각각 f와 g로 평등수렴하면 $f_n g_n$은 fg로 평등수렴한다.

d. 함수급수 $\sum_{n=1}^{\infty} f_n(x)$와 $\sum_{n=1}^{\infty} g_n(x)$ 각각 평등수렴하면, $\sum_{n=1}^{\infty} f_n(x) g_n(x)$도 평등수렴한다.

① a, b   ② a, c   ③ a, d

④ b, c   ⑤ b, d

- 5 -

18. 다음 중 옳은 것을 모두 고르시오.

a. 모든 $n \times n$행렬은 대칭(symmetric)행렬과 반대칭 (skew-symmetric)행렬의 합으로 쓸 수 있다.

b. $n \times n$ 기본행렬(elementary matrix) E에 대하여 $B = AE$를 만족하는 두 $n \times n$행렬 A, B의 행렬식 (determinant) 값은 같다. $(\det(A) = \det(B))$

c. 모든 $n \times n$실(real) 대칭 (symmetric) 행렬은 대각화 가능 (symmetriazble) 하다.

① a   ② a, c   ③ b
④ b, c   ⑤ a, b, c

19. 행렬 $A = \begin{pmatrix} -\dfrac{\sqrt{3}}{2} & 0 & -\dfrac{1}{2} \\ 0 & 1 & 0 \\ \dfrac{1}{2} & 0 & -\dfrac{\sqrt{3}}{2} \end{pmatrix}$ 에 대하여

A^{2021}을 구하시오.

① $\begin{pmatrix} \dfrac{\sqrt{3}}{2} & 0 & -\dfrac{1}{2} \\ 0 & 1 & 0 \\ \dfrac{1}{2} & 0 & \dfrac{\sqrt{3}}{2} \end{pmatrix}$ ② $\begin{pmatrix} -\dfrac{1}{2} & 0 & \dfrac{\sqrt{3}}{2} \\ 0 & 1 & 0 \\ -\dfrac{\sqrt{3}}{2} & 0 & -\dfrac{1}{2} \end{pmatrix}$

③ $\begin{pmatrix} -1 & 0 & 0 \\ 0 & 1 & 0 \\ 0 & 0 & -1 \end{pmatrix}$ ④ $\begin{pmatrix} 1 & 0 & 0 \\ 0 & 1 & 0 \\ 0 & 0 & 1 \end{pmatrix}$

⑤ $\begin{pmatrix} -\dfrac{\sqrt{3}}{2} & 0 & -\dfrac{1}{2} \\ 0 & 1 & 0 \\ \dfrac{1}{2} & 0 & -\dfrac{\sqrt{3}}{2} \end{pmatrix}$

20. $\det(A) = 1$인 2×2 실(real) 대칭행렬 A와 행렬 $J = \begin{pmatrix} 0 & 1 \\ -1 & 0 \end{pmatrix}$에 대하여 JA의 특성다항식(characteristic polynomial)을 구하시오.

① $t^2 + t + 1$ ② $t^2 - t + 1$ ③ t^2
④ $t^2 + 1$ ⑤ $t^2 - 1$

[21~30] 21번부터 30번까지의 문제는 다음 보기에서 답을 고르시오. 동일한 보기를 여러 문제에서 중복해서 사용할 수 있음.

보기

① 1   ② -1 ③ 0   ④ -3 ⑤ 3

⑥ 4   ⑦ 6   ⑧ -2 ⑨ 2   ⑩ 8

⑪ 20   ⑫ 35   ⑬ 70   ⑭ $\dfrac{3}{2}$ ⑮ 9

⑯ $1+2\sqrt{3}$ ⑰ $2\sqrt{3}-1$ ⑱ $\dfrac{1}{2}$ ⑲ 5   ⑳ 56

21. $0 \le k \le l$을 만족하는 모든 정수쌍 k, l에 대하여 실수 $a_{l,k}$가 주어져 있으며, 다음의 조건들을 만족한다.

(1) 모든 $l \ge 0$에 대하여 $a_{l,l} = a_{l,0} = 1$

(2) $0 \le k < l$인 모든 k, l에 대하여,
$a_{l+1,k+1} = a_{l,k} + a_{l,k+1}$

이 때, $a_{8,4}$를 구하시오

22. 다음과 같이 정의된 수열 x_n의 극한값 $\displaystyle\lim_{n \to \infty} x_n$을 구하시오.

$$x_{n+1} = \left(x_n^2 + 4x_n - 4\right)^{\frac{1}{3}}, \, n = 1, 2, 3, \cdots, x_1 = \frac{1}{\sqrt{2}}$$

23. $0 \le \theta \le \dfrac{\pi}{2}$일 때, 무한급수

$\displaystyle\sum_{n=1}^{\infty} (\cos\theta)^{2n+2} = \frac{1}{6}$이 성립할 때, $\tan^2\theta$의 값을 구하시오.

24. 함수 (x)가 모든 실수 x에 대해 $f'(x) > 0$가 성립하고 $f(x)$의 역함수를 $g(x)$라고 하자. 이 때, 함수 g가 다음의 두 조건을 만족한다.

(1) $g(7) = 3$, $g(1) = 0$

(2) $\int_1^7 g(x) = 13$

이 때, $\int_0^3 f(x)dx$의 값을 구하시오.

25. 실수 전체 집합에서 세 번 미분 가능한 함수 $f(x)$가 모든 정수에 대하여 다음을 만족한다. $f(n) - f(n-1) = n, f'(n) = (n+1)^2$
이때, $\int_0^1 (1-x)f''(x)$값을 구하시오.

26. 양의 실수에 정의 된 함수 $f(x) = \ln x$에 대하여, 곡선 $y = f(x)$상의 점 $(t, f(t))$에서의 접선과 x축, y축과 만나는 점을 각각 P, Q라 하자. 영역 $0 < t \le e$에서 삼각형 $\triangle OPQ$ 넓이의 최댓값이 ae^b일 때, $a^2 + b^2$의 값을 구하시오. (단, O는 원점을 의미한다.)

27. 극좌표 $\left(4, \dfrac{\pi}{6}\right)$로 주어진 점 A와 극좌표계에서 $r = \dfrac{1}{1-\cos\theta}$로 표현되는 곡선 위를 움직이는 B가 있다. 이 때, $\overline{OB} + \overline{BA}$의 최솟값을 구하시오. (단, O는 원점을 의미한다.)

- 8 -

28. 영역$(-1, \infty)$에서 정의된 미분가능한 함수 f는 다음 세 조건을 만족한다.

(1) 모든 x에 대하여 $f(x) \neq 0$ (2) $f(0)=1$

(3) $f'(x) = -(f(x))^2$

극한 $\lim\limits_{n \to \infty} f\left(1 + \dfrac{1}{n}\right)$의 값을 구하시오.

29. 3×3행렬 A가 다음과 주어져 있다.

$A = \begin{pmatrix} -2 & 0 & 1 \\ -5 & 3 & a \\ 4 & -2 & -1 \end{pmatrix}$ 이 행렬의 고윳값들이 $0, 3, -3$이

되게 하는 모든 a값들의 합을 구하시오.

30. 다음 리만-스틸체스 적분을 구하시오. (단, $[x]$는 최대정수함수 이다.)

$$\int_0^2 x^2 d[x]$$

- 9 -

01. 행렬 $A = \begin{pmatrix} \dfrac{1}{\sqrt{2}} & \dfrac{1}{\sqrt{6}} & \dfrac{1}{\sqrt{3}} \\ 0 & -\dfrac{2}{\sqrt{6}} & \dfrac{1}{\sqrt{3}} \\ -\dfrac{1}{\sqrt{2}} & \dfrac{1}{\sqrt{6}} & \dfrac{1}{\sqrt{3}} \end{pmatrix}$ 의 역행렬

A^{-1}을 찾으시오.

① $\begin{pmatrix} \dfrac{1}{\sqrt{2}} & 0 & \dfrac{1}{\sqrt{2}} \\ \dfrac{1}{\sqrt{6}} & \dfrac{2}{\sqrt{6}} & \dfrac{1}{\sqrt{6}} \\ \dfrac{1}{\sqrt{3}} & \dfrac{1}{\sqrt{3}} & \dfrac{1}{\sqrt{3}} \end{pmatrix}$

② $\begin{pmatrix} \dfrac{1}{\sqrt{2}} & 0 & -\dfrac{1}{\sqrt{2}} \\ \dfrac{1}{\sqrt{6}} & -\dfrac{2}{\sqrt{6}} & \dfrac{1}{\sqrt{6}} \\ \dfrac{1}{\sqrt{3}} & \dfrac{1}{\sqrt{3}} & \dfrac{1}{\sqrt{3}} \end{pmatrix}$

③ $\begin{pmatrix} 1 & 0 & 1 \\ 1 & 2 & 1 \\ 1 & 1 & 1 \end{pmatrix}$

④ $\begin{pmatrix} 1 & 0 & -1 \\ 1 & -2 & 1 \\ 1 & 1 & 1 \end{pmatrix}$

⑤ $\begin{pmatrix} \dfrac{1}{\sqrt{2}} & 0 & -\dfrac{1}{\sqrt{2}} \\ \dfrac{1}{\sqrt{6}} & -\dfrac{2}{\sqrt{6}} & \dfrac{1}{\sqrt{6}} \\ \dfrac{1}{\sqrt{3}} & \dfrac{1}{\sqrt{3}} & -\dfrac{1}{\sqrt{3}} \end{pmatrix}$

02. 2차원 공간상의 선형변환 T가 다음과 같이 주어져 있다. $T(x, y) = (2x - y, x + 2y)$ 꼭짓점 $A(0, 0), B(1, -5), C(2, -1)$를 가지는 삼각형을 $\Delta A'B'C$의 넓이를 구하시오.

① $\dfrac{9}{2}$

② $\dfrac{15}{2}$

③ 15

④ $\dfrac{45}{2}$

⑤ 45

03. 원점을 지나는 두 벡터 $\vec{u} = (-3, -5, 1), \vec{v} = (-3, 2, 1)$를 포함하는 평면을 W라 한다. 3차원 공간상 한 점 $P(5, -9, 5)$와 최소거리가 되게 하는 W위의 좌표 $Q(x, y, z)$를 구하시오.

① $(3, -9, -1)$

② $(4, -9, 4)$

③ $(-6, -3, 2)$

④ $(9, 1, -3)$

⑤ $(0, -7, 2)$

04. 다음의 특이적분 (improper integral)중 수렴하는 것을 모두 찾으시오.

a. $\int_1^2 \dfrac{x+1}{x\sqrt{x-1}}\,dx$　　b. $\int_0^1 \dfrac{dx}{\sqrt{x^2+2x}}$

c. $\int_1^\infty \dfrac{dx}{x\ln x}$　　　　d. $\int_{-\infty}^\infty \operatorname{sech} x\,dx$

① a, b
② a, b, c
③ a, b, d
④ a, c, d
⑤ a, b, c, d

06. 실수 수열(sequence of real numbers) $\{x_n\}$, $\{y_n\}$에 대하여, 다음 급수에 대한 설명 중 옳은 것을 모두 찾으시오.

a. $x_n \geq 0$에 대하여, $\displaystyle\sum_{n=1}^\infty x_n$이 수렴하면 $\displaystyle\sum_{n=1}^\infty \sqrt{x_n}$도 수렴한다.

b. $x_n \geq 0$에 대하여, $\displaystyle\sum_{n=1}^\infty x_n$이 수렴하면 $\displaystyle\sum_{n=1}^\infty \sqrt{x_n x_{n+1}}$도 수렴한다.

c. $\displaystyle\sum_{n=1}^\infty n x_n$이 수렴하면, $\displaystyle\sum_{n=1}^\infty x_n$도 수렴한다.

d. $\displaystyle\sum_{n=1}^\infty x_n$과 $\displaystyle\sum_{n=1}^\infty y_n$이 각각 수렴하면, $\displaystyle\sum_{n=1}^\infty x_n y_n$도 수렴한다.

① a, c
② a, b
③ c, d
④ a, d
⑤ b, c

05. 다음의 수열 $\{x_n\}$중, 급수 $\displaystyle\sum_{n=1}^\infty x_n$이 수렴하는 수열을 모두 찾으시오.

a. $x_n = \dfrac{(n!)^2}{(2n)!}$　　b. $x_n = 2^{\frac{1}{n}} - 1$

c. $x_n = 2^{\sqrt{n}-n}$　　d. $x_n = \dfrac{(n+1)^n}{n^{n+1}}$

① a
② a, b
③ a, c
④ a, d
⑤ a, c, d

07. 아래에 주어진 멱급수(power series)의 수렴구간(interval of convergence)이 $(a, b]$일 때, 두 수의 곱 ab를 구하시오.

$$\sum_{n=1}^\infty (-1)^n \frac{(x-2)^n}{n4^n}$$

① -24
② -12
③ -6
④ 6
⑤ 12

08. 주어진 행렬 $B = \begin{bmatrix} 0 & 0 & 1 \\ 0 & 3 & 3 \\ 6 & 0 & 5 \end{bmatrix}$ 에 대하여, $\det(B^t) + \det(adj(B))$ 의 값을 구하시오. 단, B^t 는 B의 전치행렬(transpose matrix)이고, $adj(B)$는 B의 고전적 수반행렬 이다.

① -18

② 36

③ -324

④ 306

⑤ -342

10. 주어진 행렬 $C = \begin{bmatrix} 0 & 0 & 4 \\ 1 & 0 & 0 \\ 0 & 1 & -3 \end{bmatrix}$ 에 대하여, C^t 의 특성다항식(characteristic polynomial)을 구하시오. 단, C^t 는 C의 전치 행렬 (transpose matrix)이다.

① $-\lambda^3 - 3\lambda^2 + 4$

② $-\lambda^3 - 3\lambda^2 - 4$

③ $-\lambda^3 - 3\lambda + 4$

④ $-\lambda^3 - 3\lambda - 4$

⑤ $-\lambda^3 - 3\lambda^2 - 3\lambda + 1$

09. 2차원 $xy-$직교좌표계 상에 놓인 타원 $4x^2 + y^2 = 4$을 원점을 중심으로 반시계 방향으로 $30°$ 회전시켰을 때 생긴 곡선의 방정식을 구하시오.

① $13x^2 + 3\sqrt{3}\,xy + 7y^2 = 4$

② $13x^2 + 3\sqrt{3}\,xy + 7y^2 = 16$

③ $7x^2 + 6\sqrt{3}\,xy + 13y^2 = 4$

④ $13x^2 + 6\sqrt{3}\,xy + 7y^2 = 16$

⑤ $7x^2 + 6\sqrt{3}\,xy + 13y^2 = 16$

11. 3차원 공간상의 두 곡면 $z = x^2 + y^2$, $4x^2 + y^2 + z^2 = 9$을 동시에 지나는 곡선을 c라고 한다. 이 때, 곡선 C위의 한 점 $Q(-1, 1, 2)$을 통과하는 접선의 방정식을 찾으시오.

① $-\dfrac{x-1}{2} = \dfrac{y+1}{2} = -z - 2$

② $-\dfrac{x+1}{4} = y - 1 = \dfrac{z-2}{2}$

③ $\dfrac{x+1}{5} = \dfrac{y-1}{8} = \dfrac{z-2}{6}$

④ $\dfrac{x+1}{5} = \dfrac{z-2}{6}, y = 1$

⑤ $\dfrac{x-1}{5} = \dfrac{y+1}{8} = \dfrac{z+2}{6}$

12. 3차원 공간상의 네 점 $P = (0, 2, -2)$, $Q = (1, 2, 0)$, $R = (2, -3, -1)$, $S = (0, 0, 0)$를 꼭짓점으로 갖는 삼각뿔의 부피를 구하시오.

① $\dfrac{2}{3}$

② $\dfrac{32}{3}$

③ 8

④ $\dfrac{16}{3}$

⑤ $\dfrac{8}{3}$

'

13. 다음 함수 중 평등 연속(uniformly continuous)인 함수를 모두 고르시오. 단, R은 실수 전체의 집합이다.

a. $f : [1, \infty) \to R,\ f(x) = \dfrac{1}{x}$

b. $f : R \to R,\ f(x) = e^{\cos x}$

c. $f : R \to R,\ f(x) = \sin(e^x)$

d. $f : R \to R,\ f(x) = \cos(x^2)$

e. $f : R \to R,\ f(x) = \begin{cases} \dfrac{\sin x}{x}, & x \neq 0 \\ 0 & , x = 0 \end{cases}$

① a, b

② a, e

③ a, b, c

④ a, b, d

⑤ a, b, e

14. 함수 $f : (a, b) \to R$에 대하여 다음 설명 중 옳은 것을 모두 찾으시오. 단, R은 실수 전체의 집합이다.

a. f가 미분가능하면, f는 연속이다.

b. f가 $c \in (a, b)$에서 극값을 가지면 $f'(c) = 0$이다.

c. f가 미분가능하고 $a < c < d < b$에 대하여 $f(c) = f(d)$이면, $f'(e) = 0$을 만족하는 $e \in (c, d)$가 존재한다.

d. f가 $c \in (a, b)$에서 미분 가능하고, $f'(c) > 0$이면, f는 c근방 (neighborhood)에서 증가(monotone increasing)한다.

e. f가 미분가능하고 $a < c < d < b$에 대하여 $f'(c) < k < f'(d)$일 때 $f'(e) = k$을 만족하는 $e \in (c, d)$가 존재한다.

① a, b, d

② a, c, e

③ a, b, e

④ a, c, d

⑤ a, d, e

15. 뚜껑이 없는 직육면체의 상자가 $18 m^2$ 넓이의 판자로 만들어졌다. 이 상자의 부피의 최댓값을 구하시오.

① $\sqrt{6}$

② $3\sqrt{2}$

③ $3\sqrt{3}$

④ $3\sqrt{6}$

⑤ 18

16. 3차원 공간 (R^3)의 벡터 $\vec{u}, \vec{v}, \vec{w}$와 스칼라 c에 대하여 다음 중 옳은 것을 모두 고르시오.

a. $\vec{u} \cdot (\vec{v} \times \vec{w}) = (\vec{u} \times \vec{v}) \cdot \vec{w}$

b. $(c\vec{u}) \times \vec{v} = \vec{u} \times (c\vec{v}) = c(\vec{u} \times \vec{v})$

c. $\vec{u} \times (\vec{v} + \vec{w}) = \vec{u} \times \vec{v} + \vec{u} \times \vec{w}$

d. $\vec{u} \times \vec{v} = \vec{v} \times \vec{u}$

e. $\vec{u} \times (\vec{v} \times \vec{w}) = (\vec{u} \cdot \vec{v})\vec{w} - (\vec{u} \cdot \vec{w})\vec{v}$

① a, b, c

② a, b, d

③ a, b, e

④ a, c, d

⑤ a, d, e

18. 특이적분 $\displaystyle\int_0^\infty e^{-x^2}dx$의 값을 구하시오.

① $\dfrac{\sqrt{\pi}}{2\sqrt{2}}$

② $\dfrac{\sqrt{\pi}}{4}$

③ $\dfrac{\sqrt{\pi}}{2}$

④ $\sqrt{\pi}$

⑤ $2\sqrt{\pi}$

17. 영역
$R = \left\{ (x, y) : x^2 + y^2 - 2x \le 0,\ x^2 + y^2 \ge 1 \right\}$에 대하여, 다음의 적분값을 구하시오.

$$\iint_R \sqrt{x^2 + y^2}\, dx\, dy$$

① $2\sqrt{3} - \dfrac{2\pi}{9}$

② $3\sqrt{3} - \dfrac{2\pi}{9}$

③ $2\sqrt{3} - \dfrac{\pi}{9}$

④ $\sqrt{3} - \dfrac{2\pi}{9}$

⑤ $4\sqrt{3} - \dfrac{\pi}{9}$

19. 포물기둥 $z = 2 - \dfrac{1}{2}x^2$과 평면 $y = 0, z = 0, y = x$로 둘러싸인 제 1팔분 공간의 영역을 R이라 하자. 다음 적분을 구하시오.

$$\iiint_R 2xyz\, dV$$

① 0

② $\dfrac{1}{3}$

③ $\dfrac{2}{3}$

④ 1

⑤ $\dfrac{4}{3}$

20. 구면 $x^2 + y^2 + z^2 = 2$의 안쪽과 포물면 $z = x^2 + y^2$위쪽으로 둘러싸인 영역의 부피를 구하시오.

① $\dfrac{(4\sqrt{2} - 7)\pi}{6}$

② $\dfrac{(8\sqrt{2} - 7)\pi}{6}$

③ $\dfrac{(8\sqrt{2} - 9)\pi}{6}$

④ $\dfrac{(4\sqrt{2} - 5)\pi}{6}$

⑤ $\dfrac{(8\sqrt{2} + 7)\pi}{6}$

21. xy평면에 위치한 양의 방향을 가지는 곡선 C가 중심이 원점이고 반지름이 1인 원일 때, 다음 선적분을 구하시오.

$$\int_C (3y - e^{\sin x})dx + \left(7x + \sqrt{y^4 + 1}\right)dy$$

22. 양의 방향을 가지는 곡면
$S = \left\{(x, y, z) : z = 1 - x^2, \ 0 \le x \le 1, \ -2 \le y \le 2\right\}$
와 벡터장
$F = (xz + 2y)i + (3x + 2yz)j + (x^2 + y^2 + z^2)k$에 대하여 아래의 선적분을 구하시오. 단, i, j, k는 3차원 단위벡터이고, C는 곡면 S를 둘러싼 곡선이며, r은 곡선 C의 매개 변수 방정식이다.

$$\int_C F \cdot dr$$

[21~30] 21번부터 30번까지의 문제는 다음 보기에서 답을 고르시오. 동일한 보기를 여러문제에서 중복해서 사용할 수 있음

<보기>

① -6	② -5	③ -4	④ -3	⑤ -2
⑥ -1	⑦ 0	⑧ 1	⑨ 2	⑩ 3
⑪ 4	⑫ 5	⑬ 6	⑭ 12	⑮ $\dfrac{7\pi}{6}$
⑯ $\dfrac{11\pi}{6}$	⑰ 2π	⑱ 4π	⑲ 6π	⑳ 8π

23. 다음 극한값을 구하시오.

$$\lim_{x \to 0} \left(\frac{1}{\sin x} - \frac{1}{x} \right)$$

25. 주어진 행렬 $A = \begin{bmatrix} -1 & 0 & 0 & 0 \\ 0 & 1 & 0 & 0 \\ 0 & 0 & -\frac{1}{2} & -\frac{\sqrt{3}}{2} \\ 0 & 0 & \frac{\sqrt{3}}{2} & -\frac{1}{2} \end{bmatrix}$ 에

대해 $A^n = I_4$ 를 만족하는 최소의 자연수 n을 구하시오. 단, I_4는 4×4항등행렬(identity matrix)이다.

24. 이차방정식 $x^2 - x + 1 = 0$의 한 근을 ω라 한다. 이 때, $\left(\omega - \frac{1}{\omega} \right)^2$의 값을 구하시오.

26. 포물면 $z = 4 - x^2 - y^2$와 xy평면 $(z = 0)$으로 둘러싸인 입체의 부피를 구하시오.

27. 포물선 $y = x - x^2$와 직선 $y = 0$로 둘러싸인 영역을 $x = -3$을 중심으로 돌렸을 때 생긴 회전체의 부피를 구하시오.

29. 다음과 같이 정의된 수열 $\{x_n\}$의 극한값 $\lim\limits_{n \to \infty} x_n$을 구하시오.

$$x_1 = \sqrt{2}, \ x_{n+1}^3 = x_n^2 + 4x_n - 4, \ n = 1, 2, \cdots$$

28. 벡터
$\vec{v} = (1, -1, 2), \vec{u_1} = (3, 0, -4),$
$\vec{u_2} = (4, 0, 3), \vec{u_3} = (0, 1, 0)$가 주어졌다.
$\vec{v} = c_1 \vec{u_1} + c_2 \vec{u_2} + c_3 \vec{u_3}$를 만족하는 실수 c_1, c_2, c_3에 대하여 $5 \times (c_1 + c_2 + c_3)$의 값을 구하시오.

30. 유한합 $\displaystyle\sum_{k=0}^{2023} \sum_{l=0}^{2023-k} \frac{(-1)^{k+l} 2023!}{k! l! (2023 - k - l)!}$ 의 값을 구하시오.

SKILL_MATH
스킬편입수학

숙명여자
대학교
5개년
기출 모음

SKILL_MATH

2019학년도 숙명여대 25문항 60분

1. 함수 $f(x) = x^{\sin x}$ 에 대하여 $f'\left(\dfrac{3\pi}{2}\right)$를 구하시오.

① $\dfrac{4}{9\pi^2}$

② $\dfrac{5}{9\pi^2}$

③ $-\dfrac{5}{9\pi^2}$

④ $-\dfrac{4}{9\pi^2}$

⑤ $-\dfrac{2}{9\pi^2}$

2. 극한 $\displaystyle\lim_{x \to 0}\dfrac{x - \sin^{-1}x}{x^3}$ 을 구하시오.

① $\dfrac{1}{6}$

② $-\dfrac{1}{6}$

③ $\dfrac{1}{5}$

④ $-\dfrac{1}{5}$

⑤ $\dfrac{1}{4}$

3. 지상에 있는 레이더 기지로부터 상공 1km 이 지점을 비행기가 30도의 각도로 상승하며 일정한 속력 300km/h 로 지나가고 있다. 그 시점으로부터 1분 후, 레이더 기지에서 비행기까지의 거리(km)를 구하시오.

① $\sqrt{27}$

② $\sqrt{28}$

③ $\sqrt{29}$

④ $\sqrt{30}$

⑤ $\sqrt{31}$

4. 실수 a, b에 대하여, 함수 $f(x) = axe^{bx^2}$은 최댓값 $f(2) = 1$ 을 갖는다고 하자. 이 때 ab 를 구하시오.

① $-\dfrac{\sqrt{e}}{16}$

② $-\dfrac{\sqrt{e}}{17}$

③ $-\dfrac{\sqrt{e}}{18}$

④ $-\dfrac{\sqrt{e}}{19}$

⑤ $-\dfrac{\sqrt{e}}{20}$

2019학년도 숙명여대 25문항 60분

5. 다음 특이적분 중 수렴하는 것을 모두 찾으시오.

ㄱ. $\displaystyle\int_0^1 \frac{dx}{\sqrt{x}+x^3}$

ㄴ. $\displaystyle\int_1^2 \frac{dx}{x\ln x}$

ㄷ. $\displaystyle\int_2^\infty \frac{1}{x^2-x}dx$

① ㄱ, ㄴ

② ㄱ, ㄷ

③ ㄴ, ㄷ

④ ㄱ, ㄴ, ㄷ

⑤ 없음

7. 적분 $\displaystyle\int_0^\infty \frac{dx}{(x+1)(x^2+1)}$ 의 값을 구하시오.

① $\dfrac{\pi}{2}$

② $\dfrac{\pi}{3}$

③ $\dfrac{\pi}{4}$

④ $\dfrac{\pi}{5}$

⑤ $\dfrac{\pi}{6}$

6. 적분 $\displaystyle\int_{\frac{1}{2}}^1 \frac{dx}{x^2\sqrt{4x^2-1}}$ 의 값을 구하시오.

① $\sqrt{2}$

② 2

③ $\sqrt{3}$

④ 3

⑤ $\sqrt{5}$

8. f가 닫힌구간 $[0,1]$에서 연속함수 일 때, 적분 $\displaystyle\int_0^1 \frac{\sin x}{\sin x + \sin(1-x)}dx$ 의 값을 구하시오.

① $\dfrac{3}{2}$

② $\dfrac{5}{4}$

③ 1

④ $\dfrac{3}{4}$

⑤ $\dfrac{1}{2}$

2019학년도 숙명여대 25문항 60분

9. 곡선 $y = \int_1^x \sqrt{\sqrt{t-1}}\,dt, 1 \le x \le 16$의 길이를 구하시오.

① $\dfrac{118}{5}$

② $\dfrac{120}{5}$

③ $\dfrac{122}{5}$

④ $\dfrac{124}{5}$

⑤ $\dfrac{126}{5}$

11. 곡선 $y = \cosh x$ 위의 점들 중 접선의 기울기가 1인 점을 구하시오.

① $(\ln\sqrt{2}, 1)$

② $(\ln(1+\sqrt{2}), \sqrt{2})$

③ $(\ln(1+\sqrt{3}), \sqrt{3})$

④ $(\ln 3, 2)$

⑤ $(\ln(1+\sqrt{5}), \sqrt{5})$

10. 반원 $x^2 + y^2 = 1, y \ge 0$ 을 직선 $y = 1$으로 회전시켜 얻은 곡면(회전체)의 겉넓이를 구하시오.

① $2\pi(\pi-2)$

② $2\pi(\pi-3)$

③ $2\pi(\pi+2)$

④ $2\pi(\pi+3)$

⑤ $2\pi(\pi+4)$

12. 연속함수 f에 대하여 $g(x) = \int_{-1}^{1} f(t)|x-t|\,dt$ 라고 하자. $-1 < x < 1$ 일 때, $g''(x)$ 를 구하시오.

① $2f(x)$

② $\dfrac{5}{2}f(x)$

③ $3f(x)$

④ $\dfrac{7}{2}f(x)$

⑤ $4f(x)$

2019학년도 숙명여대 25문항 60분

13. 함수

$$f(x) = (a^2 + a - 6)\cos 2x + (a - 2)x + \cos 1$$

이 임계점이 없을 때, a의 범위를 구하시오.

① $\dfrac{1}{2} < a < \dfrac{3}{2}$

② $-\dfrac{1}{2} < a < \dfrac{1}{2}$

③ $-\dfrac{3}{2} < a < -\dfrac{1}{2}$

④ $-\dfrac{5}{2} < a < -\dfrac{3}{2}$

⑤ $-\dfrac{7}{2} < a < -\dfrac{5}{2}$

15. 곡선

$x = 3\sin\theta - 4, y = 5 + 2\cos\theta, 0 \le \theta \le 2\pi$ 위에 있는 $\theta = \dfrac{5\pi}{4}$ 일 때의 점에서의 접선의 방정식을 구하시오.

① $y = -\dfrac{2}{3}x - 2\sqrt{2} + \dfrac{7}{3}$

② $y = -\dfrac{2}{3}x - \sqrt{2} + \dfrac{5}{3}$

③ $y = -\dfrac{1}{3}x - 2\sqrt{2} + \dfrac{4}{3}$

④ $y = \dfrac{2}{3}x - 2\sqrt{2} + \dfrac{2}{3}$

⑤ $y = \dfrac{2}{3}x - 2\sqrt{2} + \dfrac{1}{3}$

14. 곡선 $r(\theta) = 2\cos 3\theta, 0 \le \theta \le 2\pi$ 으로 둘러싸인 영역의 넓이를 구하시오.

① $\dfrac{\pi}{3}$

② $\dfrac{\pi}{2}$

③ $\dfrac{2\pi}{3}$

④ π

⑤ $\dfrac{3\pi}{2}$

16. 벡터 $2i - j + 2k$의 벡터 $-2i - 2j + 2k$ 위로의 벡터사영을 구하시오.

① $\left(-\dfrac{1}{3}, \dfrac{2}{3}, \dfrac{1}{3}\right)$

② $\left(-\dfrac{1}{3}, \dfrac{2}{3}, \dfrac{1}{3}\right)$

③ $\left(-\dfrac{1}{3}, -\dfrac{1}{3}, \dfrac{1}{3}\right)$

④ $\left(-\dfrac{1}{3}, -\dfrac{2}{3}, \dfrac{1}{3}\right)$

⑤ $\left(-\dfrac{1}{3}, -\dfrac{1}{3}, \dfrac{2}{3}\right)$

2019학년도 숙명여대 25문항 60분

17. 멱급수 $\sum_{n=1}^{\infty} \dfrac{(x-5)^n}{n2^n}$ 이 절대수렴하는 x 의 범위가 a < x < b 일 때, a+b의 값을 구하시오.

① 8
② 9
③ 10
④ 11
⑤ 12

18. $\ln\cos x$의 매클로린 급수의 계수 중 x^2의 계수와 x^3의 계수의 합을 구하시오.

① $\dfrac{1}{2}$

② $-\dfrac{1}{2}$

③ $\dfrac{3}{2}$

④ $-\dfrac{3}{2}$

⑤ $\dfrac{5}{2}$

19. 두 평면 x+y-2z = 6 과 2x-y+z=2 의 교선을 포함하고 점 (-2,0,1)을 지나는 평면 방정식을
ax + by +cz = -2 라 할 때, a+b+c의 값을 구하시오.

① 2
② 3
③ 4
④ 5
⑤ 6

20. $f(x,y,z) = 5x^2 - 3xy + xyz$ 일 때, 점 (1,1,1)에서 방향도함수의 최댓값을 구하시오.

① $\sqrt{65}$
② $\sqrt{66}$
③ $\sqrt{67}$
④ $\sqrt{68}$
⑤ $\sqrt{69}$

2019학년도 숙명여대 25문항 60분

21. 두 곡면 $z = x^2 - y^2$ 과 $xyz + 30 = 0$ 이 만나는 곡선위의 점 $(-3, 2, 5)$에서의 접선벡터를 구하시오.

① $(9, -46, 130)$
② $(8, 45, 132)$
③ $(7, -44, 134)$
④ $(6, 34, 136)$
⑤ $(5, -42, 138)$

22. 곡면
$x^2 + y^2 + z^2 = 1$ 의 내부와 곡면 $z = \sqrt{x^2 + y^2}$ 의 내부에 있는 공통영역의 부피를 구하시오.

① $2\pi\left(1 - \dfrac{\sqrt{2}}{2}\right)$

② $\dfrac{5\pi}{3}\left(1 - \dfrac{\sqrt{2}}{2}\right)$

③ $\dfrac{4\pi}{3}\left(1 - \dfrac{\sqrt{2}}{2}\right)$

④ $\pi\left(1 - \dfrac{\sqrt{2}}{2}\right)$

⑤ $\dfrac{2\pi}{3}\left(1 - \dfrac{\sqrt{2}}{2}\right)$

23. 곡선

$C : x(t) = \cos t, y(t) = \sin t, 0 \le t \le \dfrac{\pi}{2}$ 위의 물체를 벡터장 $F(x, y) = y^2 i + (2xy - e^y)j$ 으로 움직일 때 물체에 한 일을 구하시오.

① $1 + e$
② $1 - e$
③ $2 + e$
④ $2 - e$
⑤ $3 + e$

24. 어떤 자동차 회사가 TV광고에 사용하는 금액을 x, 신문광고에 사용하는 금액을 y라 할 때, 함수
$P(x, y) = -3x^2 - 2y^2 + 4x + 2y - 2xy + 20$은 TV와 신문을 통한 광고로부터 얻는 연간이익을 나타낸다. 이 회사가 연간 최대의 이익을 내는 x, y 값을 각각 a, b라 할 때, $a + b$의 값을 구하시오.

① $\dfrac{2}{5}$

② $\dfrac{3}{5}$

③ $\dfrac{4}{5}$

④ 1

⑤ $\dfrac{6}{5}$

2019학년도 숙명여대 25문항 60분

25. 곡선

$r(t) = (\sin t \cos t)i + (\sin^2 t)j + (\cos t)k$ 에서

$t=0$일 때의 곡률을 구하시오.

① $\sqrt{2}$

② $\sqrt{3}$

③ 2

④ $\sqrt{5}$

⑤ $\sqrt{6}$

1. 극한 $\lim\limits_{x \to 1^+} x^{1/(1-x)}$의 값은?

① $-e$ ② $\dfrac{-1}{e}$ ③ 1 ④ $\dfrac{1}{e}$ ⑤ e

2. 점 $(1,1)$에서 함수 $f(x,y) = x^2 y + \sqrt{y}$의 변화율의 최댓값은?

① $\dfrac{3}{2}$ ② $\dfrac{7}{4}$ ③ 2 ④ $\dfrac{9}{4}$ ⑤ $\dfrac{5}{2}$

3. 함수 f가 구간 $[1,2]$에서 연속이고

$$\int_1^2 x^k f(x)dx = 2 + k^2 \,(k = 0,1,2)$$을 만족시킬 때,

$$\int_1^4 f(\sqrt{x})dx$$의 값은?

① 3 ② 4 ③ 6 ④ 8 ⑤ 11

4. 곡선 $r = e^{3\theta}$의 길이는? (단, $0 \le \theta \le \pi$)

① $\dfrac{2\sqrt{2}}{3}(e^{3\pi} - 1)$ ② $3(e^{3\pi} - 1)$

③ $\dfrac{\sqrt{10}}{3}(e^{3\pi} - 1)$ ④ $\dfrac{\sqrt{11}}{3}(e^{3\pi} - 1)$

⑤ $\dfrac{2\sqrt{3}}{3}(e^{3\pi} - 1)$

5. 적분 $\displaystyle\int_0^1 \int_{\sqrt{x}}^1 e^{y^3} dy dx$의 값은?

① $\dfrac{e-2}{3}$

② $\dfrac{e-1}{3}$

③ $\dfrac{e}{3}$

④ $\dfrac{e+1}{3}$

⑤ $\dfrac{e+2}{3}$

6. 좌표공간에서 원점 O와 점 $(3,1,-2)$를 잇는 선분을 C라 할 때 호의 길이 s에 대한 선적분 $\displaystyle\int_C x^2 ds$의 값은?

① $3\sqrt{14}$ ② $3\sqrt{16}$ ③ $9\sqrt{2}$ ④ $6\sqrt{5}$

⑤ $3\sqrt{22}$

7. 정육면체의 부피가

$10 cm^3/\sec$의 비율로 증가하고 있다.

한 변의 길이가 $30cm$일 때 겉넓이의 증가율은?

① $\dfrac{1}{3}cm^2/\sec$ ② $\dfrac{2}{3}cm^2/\sec$ ③ $1cm^2/\sec$

④ $\dfrac{4}{3}cm^2/\sec$ ⑤ $\dfrac{5}{3}cm^2/\sec$

8. 구간 $[-1,1]$에서 입체도형 S를

x축에 수직인 평면으로

자른 단면이 중심이

포물선 $y = \dfrac{1}{2}(1-x^2)$에 있고

x축에 접하는 원이다.

이 입체도형 S의 부피는?

① $\dfrac{\pi}{15}$ ② $\dfrac{2\pi}{15}$ ③ $\dfrac{\pi}{5}$ ④ $\dfrac{4\pi}{15}$ ⑤ $\dfrac{\pi}{3}$

9. 제1공간 내에서 원기둥 $x^2 + y^2 = 1$의 내부와

평면 $z = y$아래로 공통인 영역인 부피는?

① $\dfrac{1}{7}$ ② $\dfrac{1}{6}$ ③ $\dfrac{1}{5}$ ④ $\dfrac{1}{4}$ ⑤ $\dfrac{1}{3}$

11. 급수 $\displaystyle\sum_{n=1}^{\infty} \dfrac{(n+1)^n}{p^n n!}$ 이 수렴하는

자연수 p의 최솟값은?

① 1 ② 2 ③ 3 ④ 4 ⑤ 5

10. $20m$높이의 절벽 꼭대기에 무게 $20kg$,

길이 $10m$의 밧줄이 매달려 있다. 이 밧줄을

절벽 꼭대기로 들어 올리는데 필요한 일은?

① $100kgm$ ② $110kgm$ ③ $121kgm$

④ $144kgm$ ⑤ $156kgm$

12. 곡면 $x^2 + y^2 + 2z = 1$위의 점 $P(a, b, c)$에서의

접평면이 평면 $x + 2y + z = 1$과 평행할 때

$a + b + c$의 값은?

① 1 ② 2 ③ 3 ④ 4 ⑤ 5

13. 함수 $f(x) = x\sqrt{3+x^2}$ 에 대하여 역함수 f^{-1}의

   미분계수 $(f^{-1})'(-2)$의 값은?

   ① $\dfrac{1}{5}$ ② $\dfrac{2}{5}$ ③ $\dfrac{3}{5}$ ④ $\dfrac{4}{5}$ ⑤ 1

15. 곡선 $r = 1 + \cos\theta$ 위의 점에서의

   접선의 방정식이 $y = a$이다. 양수 a의 값은?

   ① $\dfrac{\sqrt{19}}{4}$ ② $\dfrac{\sqrt{21}}{4}$ ③ $\dfrac{\sqrt{23}}{4}$ ④ $\dfrac{5}{4}$

   ⑤ $\dfrac{3\sqrt{3}}{4}$

16. 급수 $\displaystyle\sum_{n=1}^{\infty} \dfrac{n2^{n-1}}{3^n}$ 의 합은?

   ① $\dfrac{3}{2}$ ② 2 ③ $\dfrac{5}{2}$ ④ 3 ⑤ $\dfrac{7}{2}$

14. 중심이 $(0, a)$이고 반지름의 길이가 1인 원이

   포물선 $y = x^2$과 두 점에서 접할 때 a의 값은?

   ① $\dfrac{11}{12}$ ② 1 ③ $\dfrac{13}{12}$ ④ $\dfrac{7}{6}$ ⑤ $\dfrac{5}{4}$

17. 원 $x^2+y^2=1$을 직선 $y=2$를 회전축으로 회전시켜 얻은 회전체의 겉넓이는?

① $7\pi^2$ ② $8\pi^2$ ③ $9\pi^2$ ④ $10\pi^2$ ⑤ $11\pi^2$

19. 좌표평면에서 포물선 $y=1-x^2$ 위의 점 P에서의 접선이 x축, y축과 만나는 점을 각각 A, B라 할 때, 삼각형 OAB의 넓이의 최솟값은? (단, 점 O는 원점이고 점 P는 제1사분면에 있다)

① $\dfrac{2\sqrt{3}}{9}$ ② $\dfrac{\sqrt{3}}{3}$ ③ $\dfrac{4\sqrt{3}}{9}$

④ $\dfrac{5\sqrt{3}}{9}$ ⑤ $\dfrac{2\sqrt{3}}{3}$

18. 곡선 $r=\sqrt{2}\sin\theta$의 내부와 곡선 $r^2=\sin 2\theta$의 내부로 공통인 영역의 넓이는?

① $\dfrac{\pi}{7}$ ② $\dfrac{\pi}{8}$ ③ $\dfrac{\pi}{9}$ ④ $\dfrac{\pi}{10}$ ⑤ $\dfrac{\pi}{11}$

20. 네 곡선 $y=x^2, y=2x^2, x=y^2, x=3y^2$으로 둘러싸인 영역의 넓이는?

① $\dfrac{1}{18}$ ② $\dfrac{1}{9}$ ③ $\dfrac{3}{18}$ ④ $\dfrac{2}{9}$ ⑤ $\dfrac{5}{18}$

1. $f(x) = \cosh(\ln(\sec x + \tan x))$일 때, $f\left(\dfrac{\pi}{3}\right)$의 값은? [4점]

① $\dfrac{1}{2}$　② $\dfrac{\sqrt{3}}{2}$　③ $\dfrac{2\sqrt{3}}{3}$　④ $\sqrt{2}$　⑤ 2

2. 극한 $\displaystyle\lim_{x \to 0^+}(x + \sin x + \cos x - 1)^{\frac{2}{\ln x}}$ 의 값은? [4점]

① 1　② 2　③ e　④ 4　⑤ e^2

3. 임의의 실수 x에 대하여 함수 $f(x)$가 방정식 $xf''(x) + f'(x) + xf(x) = 0$을 만족하고 $f(0) = 1$일 때, $f''(0)$의 값은? [4점]

① -1　② $-\dfrac{1}{2}$　③ 0　④ 1　⑤ 2

4. 함수 $f(x)$가 $f(1) = 2$이고, 임의의 실수 x에 대해 $f'(x) \geq 1$일 때, $f(4) \geq a$이다. a의 최댓값은? [4점]

① 3　② $\dfrac{7}{2}$　③ 4　④ $\dfrac{9}{2}$　⑤ 5

5. 반지름의 길이가 r인 구에 내접하는 원기둥의 부피의 최댓값은? [5점]

① $\dfrac{\sqrt{3}}{9}\pi r^3$　　② $\dfrac{2\sqrt{3}}{9}\pi r^3$　　③ $\dfrac{\sqrt{3}}{3}\pi r^3$

④ $\dfrac{4\sqrt{3}}{9}\pi r^3$　　⑤ $\dfrac{5\sqrt{3}}{9}\pi r^3$

7. 정적분 $\displaystyle\int_{-1}^{1}\left(e^{x^3}-e^{-x^3}\right)dx$ 의 값은? [4점]

① $\sqrt[3]{e}-\dfrac{1}{\sqrt[3]{e}}$　　② $e-\dfrac{1}{e}$　　③ 0

④ $e+\dfrac{1}{e}$　　⑤ $\sqrt[3]{e}+\dfrac{1}{\sqrt[3]{e}}$

6. 함수 $f(x)$와 $g(x)$에 대하여 <보기>에서 옳은 것을 모두 고른 것은? [4점]

ㄱ. $|f(x)|$가 $x=a$에서 연속이면, $f(x)$도 $x=a$에서 연속이다.

ㄴ. $f(x)$와 $g(x)$가 구간 I에서 증가하면, $f(x)g(x)$도 구간 I에서 증가한다.

ㄷ. $[a,b]$에서 유계인 함수 $f(x)$가 불연속인 점이 유한개이면, $f(x)$는 $[a,b]$에서 적분가능하다.

① ㄱ　　② ㄴ　　③ ㄷ
④ ㄱ, ㄴ　　⑤ ㄴ, ㄷ

8. 곡선 $x^{2/3}+y^{2/3}=1$을 x축을 회전축으로 회전하여 얻은 곡면의 넓이는? [6점]

① $\dfrac{9}{5}\pi$　　② $\dfrac{12}{5}\pi$　　③ 3π

④ $\dfrac{18}{5}\pi$　　⑤ $\dfrac{21}{5}\pi$

9. 직선 $y = x$와 포물선 $y = x^2$으로 둘러싸인 영역의 무게중심을 (a, b)라고 할 때, ab의 값은? [5점]

① $\dfrac{1}{5}$　　② $\dfrac{2}{5}$　　③ $\dfrac{3}{5}$　　④ $\dfrac{4}{5}$　　⑤ 1

10. 곡선 $r^2 = 6\cos 2\theta$의 내부와 원 $r = \sqrt{3}$의 외부에 놓인 영역의 넓이는? [6점]

① $3\sqrt{3} - \pi$　　② $6\sqrt{3} - 2\pi$　　③ $6\sqrt{3} - \pi$
④ $3\sqrt{3} + \pi$　　⑤ $6\sqrt{3} + 2\pi$

11. 급수 $\displaystyle\sum_{n=1}^{\infty} \dfrac{n}{(n+1)!}$의 값은? [5점]

① 1　　② $\dfrac{3}{2}$　　③ 2　　④ $\dfrac{5}{2}$　　⑤ 3

12. 급수 $\displaystyle\sum_{n=1}^{\infty} \dfrac{n^n}{3 \cdot 6 \cdot 9 \cdots 3n} x^n$의 수렴반지름은? [5점]

① $\dfrac{1}{3}$　　② $\dfrac{e}{3}$　　③ 1　　④ $\dfrac{3}{e}$　　⑤ 3

13. 곡면 $xyz = 2020$위의 점 (a, b, c)에서의 접평면과 xy-평면, yz-평면, $zx-$평면으로 둘러싸인 사면체의 부피는? (단, a, b, c는 모두 양수이다.) [5점]

① 6060   ② 9090   ③ 12120
④ 15150   ⑤ 18180

14. 영역 $D = \{(x, y) \mid -1 \leq x \leq 1, -1 \leq y \leq 1\}$에서 함수 $f(x, y) = x^2 + y^2 + x^2 y + 4$의 최댓값을 M, 최솟값을 m이라 할 때, $M + m$의 값은? [5점]

① 8   ② 9   ③ 10   ④ 11   ⑤ 12

15. 점 $(4, 2, 0)$과 곡면 $z^2 = x^2 + y^2$사이의 최단거리는? [5점]

① 2   ② $\sqrt{3}$ ③ $2\sqrt{2}$ ④ $\sqrt{10}$ ⑤ $\sqrt{14}$

16. 중적분 $\displaystyle\int_0^1 \int_{\frac{1}{2}\sin^{-1}y}^{\frac{\pi}{4}} \frac{1}{\cos^2 x + 1} dx\, dy$ 의 값은? [6점]

① $\ln \dfrac{1}{3}$ ② $\ln \dfrac{2}{3}$ ③ $\ln \dfrac{3}{4}$
④ $\ln \dfrac{4}{3}$ ⑤ $\ln \dfrac{3}{2}$

17. 이상적분 $\displaystyle\int_0^\infty x^2 e^{-x^2}dx$의 값은? [6점]

① $\dfrac{\sqrt{\pi}}{4}$　　　② $\dfrac{\sqrt{\pi}}{2}$　　　③ $\sqrt{\pi}$

④ $2\sqrt{\pi}$　　　⑤ $4\sqrt{\pi}$

18. 구면좌표계로 주어진 두 점 $\left(6,\dfrac{\pi}{4},\dfrac{\pi}{4}\right)$와 $\left(2,\dfrac{3\pi}{4},\dfrac{3\pi}{4}\right)$ 사이의 거리는? [5점]

① $\sqrt{48}$　　　② $\sqrt{50}$　　　③ $\sqrt{52}$

④ $\sqrt{54}$　　　⑤ $\sqrt{56}$

19. $R=\{(x,y):|x|+|y|\le 1\}$일 때, $\displaystyle\iint_R e^{x-y}dA$ 의 값은? [6점]

① $e-\dfrac{1}{e}$　　　② $2e-\dfrac{1}{2e}$　　　③ $\dfrac{1}{e}$

④ $e+\dfrac{1}{e}$　　　⑤ $2e+\dfrac{1}{2e}$

20. 곡선 $C(t)=(t-\sin t,\, 1-\cos t),\, 0\le t\le 2\pi$에 대하여 선적분 $\displaystyle\int_C y\,dx-x\,dy$의 값은? [6점]

① 2π　② 4π　③ 6π　④ 8π　⑤ 10π

01. $\dfrac{10^9 + 3 \times 10^6 + 2 \times 10^3 - 6}{10^3 - 1}$ 의 각 자리수의 합은? [4]

① 9 ② 11 ③ 13 ④ 15 ⑤ 17

02. 다항식 $f(x)$가 임의의 실수 x에 대하여 $f(x+1) - f(x-1) = 6x^2 + 4$를 만족시킨다. $f(0) = 2$일 때, $f(1)$의 값은? [4]

① 1 ② 2 ③ 3 ④ 4 ⑤ 5

03. 극한 $\displaystyle\lim_{x \to 0} \dfrac{|2x-1| - |2x+1|}{x}$ 의 값은? [4]

① -4 ② -2 ③ 0 ④ 2 ⑤ 4

04. 상수 a, b, c에 대하여 극한 $\displaystyle\lim_{x \to 0} \dfrac{ax^2 + \sin bx + \sin cx}{3x^2 + 5x^4 + 7x^6} = 8$일 때, $a + b + c$의 값은? [4]

① 2 ② 4 ③ 8 ④ 16 ⑤ 24

05. 미분가능한 함수 $f(x)$가 모든 실수 x, y에 대하여 $f(x+y)=f(x)+f(y)+xy$를 만족시킨다. $f'(0)=-2$일 때, $f(-2)$의 값은? [4]

① -6 ② -3 ③ 0 ④ 3 ⑤ 6

07. 이차함수 $f(x)$에 대하여 부정적분 $\int \frac{f(x)}{x^2(x+1)^3}dx$가 유리함수이다. $f(0)=1$일 때, $f'(0)$의 값은? [5]

① 1 ② 2 ③ 3 ④ 4 ⑤ 5

06. $x=\ln(\sec y+\tan y)$일 때, $\cosh x$의 값은? [4]

① $\sin y$ ② $\tan y$ ③ $\cot y$
④ $\sec y$ ⑤ $\csc y$

08. 정적분 $\int_0^1 \left(\sqrt[3]{1-x^5}-\sqrt[5]{1-x^3}+1\right)dx$의 값은? [5]

① $\sqrt[5]{3}-1$ ② $\sqrt[3]{5}-1$ ③ 1
④ $\sqrt[5]{3}+1$ ⑤ $\sqrt[3]{5}+1$

09. 미분가능한 함수 $f(x)$가 임의의 실수 x에 대하여 $\int_0^x f(t)dt + \int_0^x tf(x-t)dt = e^{-x} - 1$을 만족시킬 때, $f(2)$의 값은? [6]

① e^{-2} ② e^{-1} ③ 1 ④ e ⑤ e^2

11. 곡선 $r = 1 + 2\cos\theta$의 큰 고리와 작은 고리 사이 영역의 넓이는? [5]

① $\frac{1}{4}(\pi + 3\sqrt{3})$ ② $\frac{1}{2}(\pi + 3\sqrt{3})$

③ $\pi + 3\sqrt{3}$ ④ $2(\pi + 3\sqrt{3})$

⑤ $4(\pi + 3\sqrt{3})$

10. 두 함수 $f(x)$와 $g(x)$가 다음을 만족시킨다.
(가) 실수 전체에서 $f''(x)$와 $g''(x)$가 연속이고 열린구간 (a,b)에서 $f''(x) < g''(x)$이다.
(나) $f(b) = g(b)$, $f'(a) < g'(a)$
<보기>에서 옳은 것만을 모두 고른 것은? [5]
ㄱ. 열린구간 (a,b)에서 $f(x) > g(x)$이다.
ㄴ. 열린구간 (a,b)에서 $f'(x) < g'(x)$이다.
ㄷ. 열린구간 (a,b)에서 $f(x)$는 증가한다.

① ㄱ   ② ㄴ   ③ ㄱ, ㄴ
④ ㄴ, ㄷ   ⑤ ㄱ, ㄴ, ㄷ

12. 곡선 $r = 3\sin\theta + 4\cos\theta (0 \le \theta \le 2\pi)$의 길이는? [5]

① 9π ② 10π ③ 11π
④ 12π ⑤ 13π

13. 급수 $\sum_{n=0}^{\infty} \dfrac{(-1)^n e^n}{n!}$ 의 합은? [5]

① $-e^{-e}-1$ ② $-e^{-e}$ ③ $-e^{-e}+1$

④ e^{-e} ⑤ $e^{-e}-1$

15. 곡선 $y=e^x$의 곡률이 최대인 점의 y좌표는? [5]

① $\dfrac{1}{e}$ ② $\dfrac{1}{\sqrt{2}}$ ③ $\sqrt{2}$

④ 2 ⑤ e

14. $f(x)=e^{x^2}$일 때, $f^{(2n)}(0)$의 값은? [5]

① $\dfrac{(2n-1)!}{n!}$ ② $\dfrac{(2n)!}{(n+1)!}$

③ $\dfrac{(2n)!}{(n-1)!}$ ④ $\dfrac{(2n)!}{n!}$

⑤ $\dfrac{(2n+1)!}{n!}$

16. 점 $(2,1)$에서 함수 $f(x,y)=x^2y+\sqrt{y}$의 변화율의 최댓값은? [5]

① $\dfrac{\sqrt{145}}{2}$ ② $\dfrac{5\sqrt{3}}{2}$ ③ $\dfrac{\sqrt{155}}{2}$

④ $\dfrac{4\sqrt{10}}{2}$ ⑤ $\dfrac{\sqrt{165}}{2}$

17. 구면 $x^2+y^2+z^2=4$상에서 함수 $f(x,y,z)=xy^2z$의 최댓값은? [5]

① 1　　② 2　　③ 3　　④ 4　　⑤ 5

19. 곡선 $x^2+(y-1)^2=1$을 x축을 회전축으로 회전하여 생기는 곡면의 넓이는? [6]

① 8π　　　② $4\pi+2\pi^2$　　　③ $4\pi^2$

④ $8\pi+2\pi^2$　　⑤ $8\pi^2$

18. 좌표공간에서 부등식 $x^2+z^2\geq 9$와 $x^2+y^2+z^2\leq 25$를 만족시키는 영역의 부피는? [6]

① $\dfrac{128\pi}{3}$　　② $\dfrac{160\pi}{3}$　　③ 64π

④ $\dfrac{224\pi}{3}$　　⑤ $\dfrac{256\pi}{3}$

20. 곡선 C가 원 $x^2+y^2=4$를 따라 시계방향으로 1회전하는 곡선일 때, 선적분 $\displaystyle\int_C x^2ydx-xy^2dy$의 값은? [6]

① -8π　　② -4π　　③ 0

④ 4π　　⑤ 8π

01. 극한 $\lim\limits_{x \to \infty} \dfrac{e^x - 1}{\cosh x}$ 의 값은? [4]

① 0

② $\dfrac{1}{2}$

③ 1

④ 2

⑤ ∞

02. 극한 $\lim\limits_{x \to \infty} \sin^{-1}\left(\dfrac{x^3 - x^2 + 1}{x^3 + x\sqrt{x} - 5} \right)$의 값은?

[4]

① 0

② $\dfrac{\pi}{4}$

③ $\dfrac{\pi}{2}$

④ $-\dfrac{\pi}{4}$

⑤ $-\dfrac{\pi}{2}$

03. 함수 $f(x) = \begin{cases} x^a + 1 & (x \geq 0) \\ 1 & (x < 0) \end{cases}$ 이 $x = 0$에서

미분가능하게 되는 양수 a의 값이 아닌 것은?
[4]

① 1

② 1.5

③ 2

④ 4

⑤ 10

04. 함수 $y = x^{\ln x^2}$의 도함수는? [6]

① $\dfrac{4x^{\ln x^2} \ln x}{x}$

② $4x^{\ln x^2} \ln x$

③ $\dfrac{2x^{\ln x} \ln x}{x}$

④ $2x^{\ln x} \ln x$

⑤ $\dfrac{2x^{\ln x^2} \ln x}{x}$

05. $t=1$일 때 곡선 $x=e^{t^2}$, $y=\ln t^3 - 2t$위의 점에서의 접선의 방정식은? [6]

① $y=-\dfrac{3}{2}-\dfrac{1}{2e}x$

② $y=-3+\dfrac{1}{e}x$

③ $y=-\dfrac{5}{2}+\dfrac{1}{2e}x$

④ $y=-1-\dfrac{1}{e}x$

⑤ $y=-\dfrac{7}{2}+\dfrac{3}{2e}x$

06. $z=x^3-\dfrac{1}{2}x^2y$, $x=\dfrac{1}{3}s^2t^2$, $y=s^2+st$일 때, $s=1$, $t=-1$에서의 $\dfrac{\partial z}{\partial s}$의 값은? [4]

① $\dfrac{1}{2}$

② $\dfrac{1}{3}$

③ $\dfrac{1}{4}$

④ $\dfrac{1}{5}$

⑤ $\dfrac{1}{6}$

07. 다변수함수 $f(x,y)=x^2+3y^4$가 점 $(1,1)$에서 가장 빠르게 감소하는 방향은? [5]

① $(-1,-6)$

② $(1,-6)$

③ $(0,0)$

④ $(-1,6)$

⑤ $(1,6)$

08. 점 $(0,0)$에서 다변수함수 $f(x,y)=-(x+y)+\ln(1+e^{x+y})$의 테일러 2차 근사다항식을 이용하여 $f(0,1)$의 근삿값을 구하면? [5]

① 0

② $-\dfrac{3}{8}$

③ $\ln 2$

④ $\dfrac{3}{8}$

⑤ $\ln 2 - \dfrac{3}{8}$

09. 영역 $\{(x,y): x^2+4y^2 \le 4\}$위의 점 (x,y)에 대하여 함수 $f(x,y)= xy$의 최댓값과 최솟값의 곱을 구하면? [5]

① -4

② -1

③ 0

④ 1

⑤ 4

11. 멱급수 $\displaystyle\sum_{n=1}^{\infty}\frac{(x+2)^{4n}}{16^n}$의 수렴반경을 구하면? [5]

① 1

② $\sqrt[4]{2}$

③ $\sqrt[3]{2}$

④ $\sqrt{2}$

⑤ 2

10. 함수 $f(x)= \ln(2-x)$를 멱급수로 나타내면? [6]

① $-\displaystyle\sum_{n=1}^{\infty}\frac{x^n}{n2^{n+1}}+\ln 2$

② $-\displaystyle\sum_{n=0}^{\infty}\frac{x^{n+1}}{(n+1)2^{n+1}}+\ln 2$

③ $-\displaystyle\sum_{n=0}^{\infty}\frac{x^n}{(n+1)2^n}+\ln 2$

④ $-\displaystyle\sum_{n=1}^{\infty}\frac{x^n}{n2^{n+2}}+\ln 2$

⑤ $-\displaystyle\sum_{n=0}^{\infty}\frac{x^{n+1}}{(n+1)2^n}+\ln 2$

12. 급수 $\displaystyle\sum_{n=1}^{\infty}-\frac{(-\ln 2)^n}{n}$의 값이 속하는 구간은? [4]

① $(-2,-1)$

② $(-1,0)$

③ $(0,1)$

④ $(1,2)$

⑤ $(2,3)$

13. $\int \left(2\cos^2 x + \dfrac{1}{x(x-1)}\right)dx$의 부정적분은?
[6]

① $x + \dfrac{\sin 2x}{2} - \ln|x| + \ln|x-1| + C$

② $-x + \dfrac{\cos 2x}{2} - \ln|x| + \ln|x-1| + C$

③ $x + \dfrac{\cos x}{2} - \ln|x| + \ln|x-1| + C$

④ $x - \dfrac{\sin 2x}{2} - \ln|x| + \ln|x-1| + C$

⑤ $x - \dfrac{\cos x}{3} - \ln|x| + \ln|x-1| + C$

14. $\int_0^{\frac{\pi}{2}} \int_x^{\frac{\pi}{2}} \dfrac{\cos y}{y}\,dy\,dx$의 값은? [5]

① $\dfrac{1}{2}$

② 1

③ $\dfrac{3}{2}$

④ $\dfrac{2}{3}$

⑤ $\dfrac{4}{5}$

15. 다음 두 곡선 $x = y^2 + 1$, $x - y = 3$에 의하여 둘러싸인 부분의 넓이는? [4]

① $\dfrac{1}{2}$

② $\dfrac{7}{3}$

③ $\dfrac{4}{3}$

④ $\dfrac{9}{2}$

⑤ $\dfrac{2}{5}$

16. 곡선 $y = \dfrac{1}{2} + \dfrac{2}{3}x^{\frac{3}{2}}\,(1 \le x \le 2)$의 길이는? [4]

① $\dfrac{1}{27}\left(3^{\frac{1}{2}} - 2^{\frac{1}{2}}\right)$

② $\dfrac{1}{9}\left(3^{\frac{1}{3}} - 2^{\frac{1}{3}}\right)$

③ $\dfrac{1}{9}\left(3^{\frac{5}{2}} - 2^{\frac{5}{2}}\right)$

④ $\dfrac{2}{3}\left(3^{\frac{1}{2}} - 2^{\frac{1}{2}}\right)$

⑤ $\dfrac{2}{3}\left(3^{\frac{3}{2}} - 2^{\frac{3}{2}}\right)$

17. 영역 $R = \{(x, y): 0 < x < y < 1\}$에서 함수 $f(x, y) = 8xy$의 이중적분 값을 구하면? [5]

① 0

② 1

③ 2

④ 3

⑤ 4

18. 시작점이 원점이고 끝점이 $(3, 2, 1)$인 선분을 따라서 포텐셜함수 $f(x, y, z) = x + yz$에 대응되는 벡터장을 선적분한 값을 구하면? [6]

① 0

② 3

③ 5

④ 6

⑤ 10

19. 구 S가 $x^2 + y^2 + z^2 = 1$이고 S의 표면 바깥으로 흐르는 유량이 $\vec{F} = \langle 2^y, xz, xy^3 \rangle$일 때, 면적분 $\iint_S \vec{F} \cdot d\vec{S}$의 값은? [6]

① 0

② $\dfrac{\sqrt{3}}{4}\pi$

③ $\dfrac{\sqrt{3}}{2}\pi$

④ $\sqrt{3}\,\pi$

⑤ $2\sqrt{3}\,\pi$

20. 중심이 $(0, 0)$이고 반지름이 1인 원을 둘러싸인 영역을 A라 하자. 적분 $\iint_A (x^2 + 4y^2)dxdy$의 값을 구하면? [6]

① $\dfrac{\pi}{4}$

② $\dfrac{\pi}{2}$

③ $\dfrac{3}{4}\pi$

④ π

⑤ $\dfrac{5}{4}\pi$